たったの72パターンで こんなに話せる 韓国語会話

CD BOOK

李 明姫

明日香出版社

はじめに

안녕하세요！（こんにちは！）

「韓国語でもっと気軽に話したい」
「習った韓国語をもっとスムーズに話せるようになりたい」
「旅行中に現地の人と日常の会話ができるようになりたい」

　韓国語を学んでいる多くの方がこのように感じていることと思います。日本語に似ているといえど、やはり外国語。文字や発音にようやく慣れたと思ったら、活用形がいまいちよくわからないといった悩みを多くの学習者から聞きます。
　そこで力をつけてくれるのが「パターン」（文型）練習です。フレーズの丸暗記ではなく、**きちんと「パターン」を理解すると、単語を入れ替えるだけで、会話のバリエーションを広げることができます。**
　『CD BOOK たったの72パターンでこんなに話せる韓国語会話』では、日常会話でよく使われる72のパターンをピックアップしました。

　この『72パターン』シリーズの英会話版『CD BOOK たったの72パターンでこんなに話せる英会話』は、ベストセラーとなっています。難しい文法説明を最小限にとどめ、よく使うパターンを集中的に練習する学習効率の良さはお墨付きというわけです。

　本書の「PartⅠ これだけは！ 絶対覚えたい重要パターン21」では、基本的な会話のパターンを学びます。
　そして各パターンの「応用」では、それぞれの否定パターンと疑問パターンも合わせて確認し、「パターン」を覚えることで文法も自然に身につくよう構成されています。

そして「PartⅡ 使える！ 頻出パターン51」では、会話の幅を広げることができるように、旅行や友人たちとの会話などでよく使うパターンをバラエティー豊かに盛り込みました。

　「基本フレーズ」「基本パターンで言ってみよう！」「応用パターンで言ってみよう！」の各フレーズにはルビがふられていますが、外国語の発音をカタカナで表記するのは難しい面もありますので、ルビはあくまで参考程度になさってください。

　CDのナレーションの男性の声は韓国の俳優、崔圭桓（チェ・ギュファン）さんです。自然なスピードで臨場感のある話し方をCDで繰り返し聴いて耳を慣らし、実際に声に出して発音やイントネーションをまねるように学習するといいでしょう。

　韓国語を習い始めたばかりの方も、今まで習った文法のおさらいをされる方も、この72パターンをしっかり身につけて、様々なシーンでどんどん会話をお楽しみいただければと思います。

2011年4月吉日
李　明姫（Lee Myonghee）

◆CDの使い方◆

CDには、各フレーズが日本語→韓国語の順に収録されています。韓国語が実際にどのように話されているかを確認しながら聴いてください。次に、発音やリズムをまねて、実際に声に出して言ってみましょう。慣れてきたら、日本語の後に自分で韓国語を言ってみましょう。

目 次

韓国語・基本の基本！…8

絶対覚えたい重要パターン21

1 〜は…です／〜은…입니다 …20
2 〜があります／〜이 있습니다 …24
3 〜します ①／〜습니다 …28
4 〜です ①／〜습니다 …32
5 〜します ②／〜겠습니다 …36
6 〜したいです／〜고 싶어요 …40
7 〜します ③／〜어요 …44
8 〜です ②／〜아요 …48
9 〜しました／〜았어요 …52
10 〜かったです／〜았어요 …56
11 〜しています ①／〜고 있어요 …60
12 〜しています ②／〜아 있어요 …64
13 〜と思います ①／〜을 거예요 …68
14 〜すればいいよ／〜으면 돼요 …72
15 （たぶん）〜と思います／〜을 것 같아요 …76
16 〜したようです／〜은 것 같아요 …80
17 〜することができます ①／〜을 수 있어요 …84
18 〜することができます ②／〜을 줄 알아요 …88
19 〜したことがあります／〜은 적이 있어요 …92
20 〜しなければなりません／〜어야 돼요 …96
21 〜してもいいです／〜어도 돼요 …100

頻出パターン51

- **22** ～しに行きます／～으러 가요 …106
- **23** ～しているようです／～는 것 같아요 …108
- **24** ～が好きです／～을 좋아해요 …110
- **25** ～してください ①／～으세요 …112
- **26** ～しないでください／～지 마세요 …114
- **27** ～してみて／～어 봐요 …116
- **28** ～すぎです／너무 ～아요 …118
- **29** ～に見えます／～아 보여요 …120
- **30** ～してください ②／～어 주세요 …122
- **31** ～してしまいました／～어 버렸어요 …124
- **32** ～しなきゃと思ってます／～야겠어요 …126
- **33** ～することができません／못～어요 …128
- **34** ～するのが得意です／잘～어요 …130
- **35** ～するのは苦手です／잘 못～어요 …132
- **36** ～したらいいな／～으면 좋겠어요 …134
- **37** ～することにしました／～기로 했어요 …136
- **38** ～したくないです／～기 싫어요 …138
- **39** ～しやすいです／～기 쉬워요 …140
- **40** ～しにくいです ①／～기 힘들어요 …142
- **41** ～しにくいです ②／잘 안～어요 …144
- **42** ～しようと思います／～으려고 해요 …146
- **43** ～したほうがよさそうです／～는 게 좋겠어요 …148

| 44 | 〜しているところです／〜는 중이에요 …150
| 45 | 〜するほうです／〜는 편이에요 …152
| 46 | 〜らしいです／〜는 모양이에요 …154
| 47 | 〜するふりをします／〜는 척을 해요 …156
| 48 | 〜します ④／〜을 거예요 …158
| 49 | 〜するつもりです／〜을 생각이에요 …160
| 50 | 〜かもしれない／〜을 지도 몰라요 …162
| 51 | 〜したかもしれない／〜았을지도 몰라요 …164
| 52 | 〜はずがありません／〜을 리가 없어요 …166
| 53 | 〜するしかない／〜을 수 밖에 없어요 …168
| 54 | 〜は当然です／〜을 수 밖에 없어요 …170
| 55 | 〜すればよかった／〜을 걸 그랬어요 …172
| 56 | 〜と思うけど／〜을걸요 …174
| 57 | 〜と思いました／〜을 줄 알았어요 …176
| 58 | 〜とは思わなかった／〜을 줄 몰랐어요 …178
| 59 | 〜だそうです ①／〜대요 …180
| 60 | 〜だそうです ②／〜(이)래요 …182
| 61 | 〜してばかりいます／名詞 + 만〜아요 …184
| 62 | …だけ〜すればいいです／名詞 + 만〜돼요 …186
| 63 | 〜だけです／〜을 뿐이에요 …188
| 64 | 〜するね／〜는다 …190
| 65 | すごく〜です／얼마나〜지 몰라요 …192
| 66 | 〜くなります／〜져요 …194
| 67 | 〜と言う（引用）／〜(이) 라고 …196
| 68 | いつ〜？／언제〜？ …198
| 69 | どこ〜？／어디〜？ …204
| 70 | 誰〜？／누구〜？ …206
| 71 | 何〜？／뭐〜？ …208
| 72 | どう〜？／어떻게〜？ …210

カバーデザイン：渡邊民人(TYPE FACE)
カバーイラスト：草田みかん
本文デザイン　：中川由紀子(TYPE FACE)
本文イラスト　：qanki

◎韓国語・基本の基本！◎

1. 品詞

韓国学校文法で定める韓国語の品詞は下記の９つです。

本書では、韓国語を外国語として勉強する上で便宜上、代名詞・数詞を 名詞 でひとくくりしました。また、日本の韓国語教材にならって、活用がわかりやすいように、叙述格助詞を 指定詞 として一つの品詞とし、形容詞の『있다／없다』を 存在詞 という品詞として、下記 部分の９品詞で説明します。

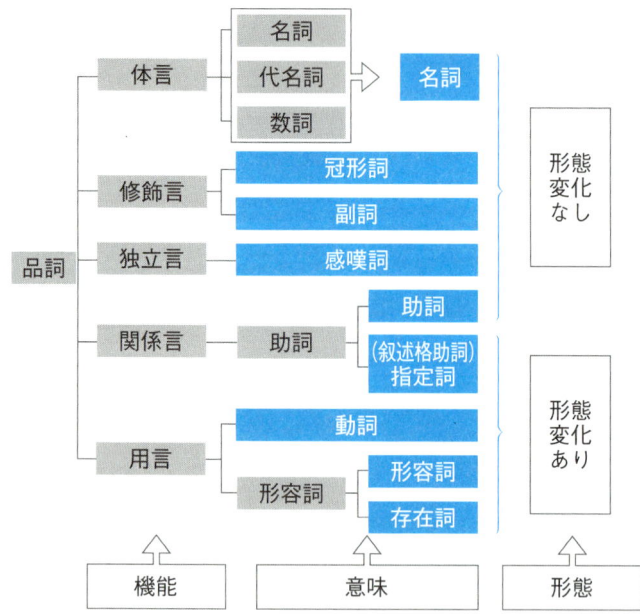

韓国学校文法品詞

①**名詞**

日本語のほとんどの名詞と同じで、物の名前です。

②**冠形詞**

日本語の連体詞と似ています。名詞を修飾します。

＊代表的な冠形詞

先日	右手	新	三人	初	この	どの	何の
지난	오른손	새	세 사람	첫	이	어느	무슨

③**副詞**

조금（少し），빨리（はやく），천천이（ゆっくり），자주（よく）など、日本語のほとんどの副詞と同じで、他の文節を修飾し、意味を詳しく定めます。

④**感嘆詞**

日本語のほとんどの感嘆詞と同じで、喜び、悲しみ、驚きなどを表す単語です。

⑤**助詞**

体言や助詞につき、前にくる体言のパッチム有・無で変わるものがあります。

＊代表的な助詞

名詞	が	を	は	で	に	(人)に	と	から	まで	も	の	より
パッチム有	이	을	은	에서	에	에게	과／하고	에서／부터	까지	도	의	보다
パッチム無	가	를	는				와／하고					

⑥ 指定詞

（名詞＋）이다（―だ）のみ。

⑦ 存在詞

있다（ある・いる）、계시다（いらっしゃる）、없다（ない・いない）のみ。

⑧ 動詞

基本形が『－다』で終わります。日本語のほとんどの動詞と同じです。
動詞は規則活用するものと不規則な活用をするものがあります。『－아／어 보다』などの補助動詞を含みます。

⑨ 形容詞

基本形が『－다』で終わります。日本語のほとんどの形容詞・形容動詞と同じです。形容詞は規則活用するものと不規則な活用をするものがあります。補助形容詞『－고 싶다』なども含みます。

＊不規則な活用をする用言

ㄷパッチム、ㅅパッチム、ㅂパッチム、ㅎパッチムを持つ用言の一部とㄹパッチムを持つ用言、語幹がㄹで終わる用言は、語尾『아／어～』や『으～』がくっつく際、語幹や語尾が変化します。

2. 文の構成と文法的機能をする曲用・活用

　文の構成は日本語とほぼ同じ。日韓の文法が似ていると言われる所以です。

　英語や中国語と比べて、韓国語と日本語の大きな特徴は「くっつく」ことで文章を作ること。名詞に助詞がくっつくものを曲用、用言（動詞・形容詞・存在詞・指定詞）に語尾がくっつく際に変化することを活用といいます。

＊動詞・形容詞・存在詞・指定詞の基本形（辞書に載っている形）は『ー다』で終わりますが、この『다』は語尾の一種で、『다』を取った残りが語幹となります。

①平叙文・疑問文

유키코	가	밥	을		먹	습니다	（平叙文一現在）
ユキコ	は	ご飯	を		食べ	ます	
유키코	도	밥	은		먹	었습니다	（平叙文一過去）
ユキコ	も	ご飯	は		食べ	ました	
					먹	었습니까？	（過去疑問文）
					食べ	ましたか？	

```
　　　ここが曲用　　　　｜　　　ここが活用
主語・目的語などがわかる｜時制・疑問表現などがわかる
```

②否定文

品詞や意味によって否定形が異なります。

指定詞		이다	-이/가 아니다
存在詞 その他『있다』のつく用言		있다 재미있다	없다 재미없다
対義語を使う		알다（知る）	모르다（知らない）
動詞・ 形容詞	前否定：안＋用言	먹다 / 춥다	안 먹다 / 안 춥다
	後否定：用言＋지 않다		먹지 않다 / 춥지 않다

3. 活用の種類

① -ㅂ니다活用：ㄹパッチム語幹を除くパッチム有 用言＋습니다
　　　　　　　すべてのパッチム無 用言・ㄹパッチム語幹＋ㅂ니다
② -고活用：すべての用言の語幹＋고
③ -으活用：下記の語尾にくっつく際に語幹や語尾が変化します。
　　　　　　ㄹパッチム語幹のみⅠ語尾、Ⅱ語尾で違う付き方をするので注意。

	Ⅰ語尾	Ⅱ語尾
パッチム有 規則用言語幹 ㄷパッチム→ㄹ ㅅパッチム→パッチム取る	으라고, 으라면, 으러, 으려고, 으면 되다, 으면 안 되다, 으면 좋겠다, 으므로	으니, 으세요, 으시다（敬語）, 으십시오, 은（걸, 걸요, 것 같다, 모양이다, 지）을（걸요, 것이다, 게요, 까, 리가 없다 리가있다, 수 밖에 없다, 뿐만 아니라, 줄 안다）
ㄷ変格活用例：듣다	들으면（聞けば）	들으세요（聞きなさい）
ㅅ変格活用例：붓다	부으면（注げば）	부으세요（注ぎなさい）

	Ⅰ語尾	Ⅱ語尾
パッチム無 規則用言語幹 ㅂパッチム→우/오 ㅎパッチム→パッチム取る	라고, 라면, 러 가다, 려고, 면 되다, 면 안 되다, 면 좋겠다, 므로	니, 세요, 시다 (敬語), 십시오, ㄴ(걸, 걸요, 것 같다, 모양이다, 지), ㄹ(걸요, 것이다,게요, 까, 리가 없다 리가있다, 수밖에 없다, 을 뿐만 아니라, 줄 안다)
ㅂ変格活用例：돕다	도우면(助ければ)	도우세요(助けなさい)
ㅎ変格活用例：그렇다	그리면(そうすれば)	그러세요(そうしなさい)
ㄹパッチム語幹	そのまま語尾がつく 살면(暮らせば)	ㄹパッチムが取れて語尾がつく 사세요(暮らしなさい)

④ －아/어요活用：用言が下記の語尾にくっつく際に語幹や語尾が変化します。

＜語尾の例＞

－어요, －어가다, －어 내다, －어 놓다, －어 드리다, －어 버리다, －어 보다, －어 보이다, －어 오다, －어 있다, －어 주다, －어도 되다, －어서, －어야 되다, －어야 하다, －어야겠다, －어지다, －었다, －었으면など。

※注：『－아/어』は代表で『어』のみ記しています。

表1　아/어요活用　青字は語幹

	パッチム	語幹最後の音節		+	活用の形
規則活用用言	有	陽母音		아요	받다 → 받아요
		陰母音		어요	먹다 → 먹어요
		存在詞		어요	있다 → 있어요　없다 → 없어요
		過去形		어요	았다 → 았어요　었다 → 었어요
		指定詞		어요	이다 → 이어요 → 이에요(다 → 어요 → 예요)
	無	母音 ㅏ・ㅓ		요	가다 → 가아요 → 가요 서다 → 서어요 → 서요
		母音 ㅐ		요	보내다 → 보내어요 → 보내요
		母音 ㅗ		아요	오다 → 오아요 → 와요
		母音 ㅜ		어요	두다 → 두어요 → 둬요
		母音 ㅣ		어요	기다리다 → 기다리어요 → 기다려요
		母音 ㅡ	の前の字が ㅏ, ㅗ	아요	바쁘다 → 바쁘아요 → 바빠요
			の前の字が 上記以外	어요	기쁘다 → 기쁘어요 → 기뻐요 쓰다 → 쓰어요 → 써요
不規則活用用言	有	パッチム ㄷ → ㄹ		어요	묻다 → 물어요
		パッチム ㅂ → 우・오		어요	춥다 → 추우다 → 추우어요 → 추워요
				아요	곱다 → 고오다 → 고오아요 → 고와요
		パッチム ㅅ → 取れる		아요	낫다 → 나아요
				어요	짓다 → 지어요
		*パッチム ㅎ → 取れる		ㅐ요・ㅖ요	파랗다 → 파래요　그렇다 → 그래요 하얗다 → 하얘요
		パッチム ㄹ		아	*살다 → 살아요
	無	르 → ㄹ添加		아요	고르다 → 골라요
				어요	부르다 → 불러요
		하다		여요	하다 → 하여요 → 해요

文法説明	仲間の単語の例
『다』を取った語幹に、そのまま様々な語尾がくっつく	닫다, 짧다, 많다, 얇다,
	열다, 입다, 적다,
	계시다
	————
	————
語幹最後の母音が『ㅏ/ㅓ』+『아요/어요』と重なる場合、아や어はなくなる	자다, 자라다, 일어나다, 켜다
現代語では『어』がなくなる	내다, 지다, 깨다
母音合体　ㅗ+ㅏ=ㅘ	쏘다, 꼬다, 보다,
母音合体　ㅜ+ㅓ=ㅝ	주다, 배우다, 비우다, 멈추다, 재우다
母音合体　ㅣ+ㅓ=ㅕ	가르치다, 가리키다, 걸리다, 시다
母音統合　ㅡ+ㅏ=ㅏ	아프다, 고프다,
母音統合　ㅡ+ㅓ=ㅓ	슬프다, 끄다, 예쁘다
ㄷが脱落して→ㄹがくっつく	걷다, 듣다, 긷다
語幹最後の母音がㅏ、ㅗの時　ㅂ→오 上記以外　ㅂ→우	덥다, 굽다, 맵다, 눕다, 무섭다, 시끄럽다
	돕다
語幹最後の母音がㅏ、ㅗの時+아요 上記以外+어요	앗다
	잇다, 긋다, 붓다
パッチムㅎ、母音『ㅏ』がなくなり→ ㅐ요(ㅖ요)　　＊語幹も変わる	빨갛다, 벌겋다, 노랗다, 누렇다, 까맣다, 꺼멓다, 퍼렇다, 이렇다, 저렇다, 어떻다
『이/어』がくっつく時は特に変化なし	놀다, 울다, 길다
르前の母音がㅏ、ㅗの時+아요 上記以外+어요	조르다, 가브나, 다르다, 나르다
	누르다, 두르다, 흐르다, 구르다
現代語では『해요』	조용하다, 유명하다, 얌전하다, 편리하다

4. 時制

　日本語同様「述語」で時制を表します。
　述語となる動詞・形容詞・指定詞・存在詞などが活用します。

動　詞：어제 먹었다 / 오늘 먹는다 / 내일 먹겠다 (먹을 것이다)
　　　　昨日食べた / 今日食べる / 明日食べる（食べるだろう）

形容詞：어제 바빴다 / 오늘 바쁘다 / 내일 바쁘겠다 (바쁠 것이다)
　　　　昨日忙しかった / 今日忙しい / 明日忙しいだろう

存在詞：어제 있었다 / 오늘 있다 / 내일 있겠다 (있을 것이다)
　　　　昨日あった / 今日ある / 明日あるだろう

指定詞：어제 당번이었다 / 오늘 당번이다 / 내일 당번이겠다 (당번일 것이다)
　　　　昨日当番だった / 今日当番だ / 明日当番だろう

＊終止形（終結語尾）動詞（現在）のみ基本形と終止形が違うので注意。

述語	動詞	形容詞	指定詞	存在詞	その他
過去었 / 았	먹었다	바빴다	있었다	이었다	－고 싶었다
現在	먹는다	바쁘다	있다	이다	－고 싶다
未来（未然）	먹겠다	바쁘겠다	있겠다	이겠다	－고 싶겠다

＊連体形（接続語尾）体言に続く形です。

述語	動詞	形容詞	指定詞	存在詞	その他
過去回想	먹었던	바빴던	있었던	이었던	싶었던
過去(으)ㄴ	먹은	×	×	×	×
現在는・(으)ㄴ	먹는	바쁜	있는	－인	－고 싶은
未来(으)ㄹ	먹을	바쁠	있을	－일	－고 싶을

5. 文体

文体は話者と相手の関係性から大きく分けて、「ぞんざい語」・「丁寧語」・「敬語」があります。

	ぞんざい語	丁寧語		敬語
平叙文	-(는) 다・아/어	아/어요	(스) ㅂ니다	(으) 십니다
疑問文	-니？-냐？-야？	아/어요？	(스) ㅂ니까？	(으) 십니까？

① ぞんざい語は『반말』（パンマル）と呼ばれるもので、目下の人や友人、または親しい間柄で用いられます。

② 丁寧語は基本的に『-(스) ㅂ니다』という語尾を使い、あらたまった感じで格式体と言います。日本語の「です・ます」調、もしくはもう少し堅い表現です。

③ 『아/어요体』は丁寧語ではありますが、日本語の「です」「ます」より優しく、くだけた感じの表現となります。

本書では、部分的に『아/어요体』の日本語訳をくだけた表現にしてあります。

④ 本書では取り上げていませんが、敬語の場合は日本語同様、尊敬語・謙譲語があり、語尾だけでなく、下記の表のように名詞でも尊敬を表す単語があります。

	ご飯	誕生日	名前	年	言葉	家	寝る	いる	食べる
一般	밥	생일	이름	나이	말	집	자다	있다	먹다
敬語	진지	생신	성함	연세	말씀	댁	주무시다	계시나	드시다 잡수시다

Part I

これだけは!!
絶対覚えたい重要パターン21

～は…です
～은…입니다

基本フレーズ

이것<ruby>은<rt>イゴスン</rt></ruby> 제<rt>ヂェ</rt> 이메일<rt>イメイル</rt> 주소입니다<rt>ジュソインムニダ</rt>.

これは私のＥメールアドレスです。

こんなときに使おう!
Ｅメールアドレスを教えるときに…

『이것은 ～입니다』は「これは～です」という表現です。
『이것』(これ) の代わりに『그것』(それ)、『저것』(あれ) などの指示代名詞や、数詞を含む 名詞 を入れることができます。
助詞 の「～は」の前に来る 名詞 が子音で終わるとき (パッチム有) は『은』、 名詞 が母音で終わるとき (パッチム無) は『는』が来ます。

●基本パターン●

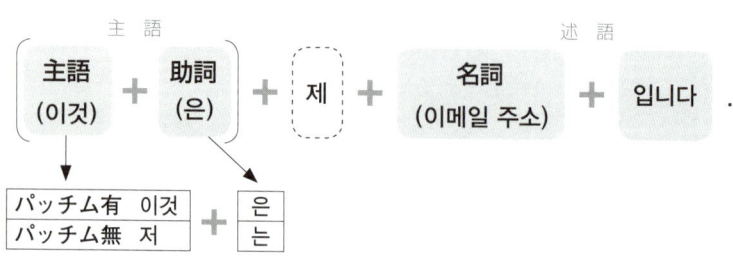

基本パターンで言ってみよう!

「〜は」の前に来る名詞がパッチムで終わるとき ➡ 〜은

이것_은 책입니다.
<small>イゴスン チェギンムニダ</small>
これは本です。

화장실_은 저쪽입니다.
<small>ファジャンシルン チョチョギンムニダ</small>
トイレはあちらです。

집_은 이케부쿠로입니다.
<small>チブン イケブクロインムニダ</small>
家は池袋です。

「〜は」の前に来る名詞が母音で終わるとき ➡ 〜는

저_는 타나카입니다.
<small>チョヌン タナカ インムニダ</small>
私は田中です。

친구_는 일본사람입니다.
<small>チングヌン イルボンサラムインムニダ</small>
友人は日本人です。

전화번호_는 6454에 2032입니다.
<small>チョナボノヌン ユックサオサエ イゴンサミインムニダ</small>
電話番号は6454の2032です。

 これも知っておこう!

主語『〜는』(〜は) を省略することもあります。

만나서 반갑습니다. (저_는) 이명희입니다.
<small>マンナソ バンガップスンムニダ (チョヌン) イミョンヒインムニダ</small>
お会いできてうれしいです。(私は) 李明姫です。

応用

●否定パターン●

文末の『입니다』を『가 아닙니다／이 아닙니다』に変えるだけ！

```
[主語     ]   [助詞]        [名詞        ]   
(이것)  +  (은)  +  제  +  (이메일 주소) +  가 아닙니다  .

                           [名詞    ]
                           パッチム有  +  이 아닙니다
```

<u>이</u>것<u>은</u> <u>제</u> <u>이메일</u> <u>주소</u><u>가 아닙니다</u>.
_{イゴスン チェ イメイル ジュソガ アニンムニダ}

（これは私のEメールアドレスではありません）

●疑問パターン●

文末の『입니다』を『입니까?』に変えるだけ！

```
[主語   ]   [助詞]             [名詞        ]
(이것)  +  (은)  +  수연 씨  +  (이메일 주소) +  입니까  ?
```

<u>이</u>것<u>은</u> <u>수연 씨</u> <u>이메일</u> <u>주소</u><u>입니까?</u>
_{イゴスン スヨン シ イメイル ジュソインムニカ}

（これはスヨンさんのEメールアドレスですか？）

答え方　네, 제 이메일 주소입니다.
　　　　　（はい、私のEメールアドレスです）

　　　　　아니요, 제 이메일 주소가 아닙니다.
　　　　　（いいえ、私のEメールアドレスではありません）

応用パターンで言ってみよう!

<small>コギヌン　サムシリ　アニンムニダ</small>
거기는 사무실이 아닙니다.
そこは事務室ではありません。

<small>クゴスン　チェ　チンシミ　アニンムニダ</small>
그것은 제 진심이 아닙니다.
それは私の本当の気持ちじゃありません。

<small>ビヘンギヌン　アシアナインムニッカ</small>
비행기는 아시아나입니까?
飛行機はアシアナですか?

<small>キョボムンゴヌン　オヌチョギンムニカ</small>
교보문고는 어느쪽입니까?
教保文庫はどちらですか?

<small>チョ　サラムン　ヌグインムニッカ</small>
저 사람은 누구입니까?
あの人は誰ですか?

これも知っておこう!

＜否定疑問形＞

<small>イゴスン　スヨン シ　イメイル　ジュソガ　アニンムニカ</small>
이것은 수연 씨 이메일 주소가 아닙니까?
これはスヨンさんのEメールアドレスではありませんか?

　答え方　**네, 제 이메일 주소가 아닙니다.**
　　　　　(はい、私のEメールアドレスではありません)

　　　　　아니요, 제 이메일 주소입니다.
　　　　　(いいえ、私のEメールアドレスです)

2 〜があります
〜이 있습니다

基本 フレーズ

저쪽에 우체국이 있습니다.
チョチョゲ ウチェグギ イッスンムニダ

あちらに郵便局があります。

こんなときに使おう!
「切手はどこで買えますか?」と聞かれて…

『 名詞 이/가 있습니다』は「 名詞 があります」という表現です。

基本フレーズは『A에B이/가 있습니다』(AにBがあります)ですが、これは『A에 있습니다』(Aにあります)、『B이/가 있습니다』(Bがあります)を一つにしたものです。『B이 (가) A에있습니다』(BがAにあります)のように主語のBを前に出すと、主語が強調されます。

基本パターン

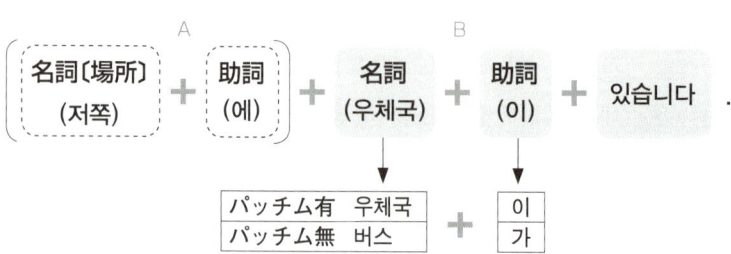

基本パターンで言ってみよう！

「〜が」の前に来る名詞がパッチムで終わるとき ➡ 〜이

지하에 식당이 있습니다.
_{チハエ　シクタンイ　イッスンムニダ}
地下に食堂があります。

저쪽에 화장실이 있습니다.
_{チョチョゲ　ファジャンシリ　イッスンムニダ}
あちらにトイレがあります。

집이 이케부쿠로에 있습니다.
_{チビ　イケブクロエ　イッスンムニダ}
家が池袋にあります。

「〜が」の前に来る名詞が母音で終わるとき ➡ 〜가

여기에 전화번호가 있습니다.
_{ヨギエ　チョナボノガ　イッスンムニダ}
ここに電話番号があります。

이십 분 후에 다음 버스가 있습니다.
_{イシップン　フエ　ダウム　ボスガ　イッスムニダ}
20分後に次のバス（の便）があります。

한국에 친구가 많이 있습니다.
_{ハングゲ　チングガ　マニ　イッスンムニダ}
韓国に友人がたくさんいます。

これも知っておこう！

『主語部는＋修飾部＋있습니다』（主語部は＋修飾部＋あります）という表現もあります。

다음 버스는 이십 분 후에 있습니다.
_{タウム　ボスヌン　イシップン　フエ　イッスムニダ}
次のバス（の便）は20分後にあります。

応　用

●否定パターン●

文末の『있습니다』を『없습니다』に変えるだけ！

저쪽에는 ＋ 名詞（우체국） ＋ 助詞（이） ＋ **없습니다** ．

名詞 パッチム無 ＋ 助詞（가）

チョチョゲヌン　ウチェグギ　オップスンムニダ
저쪽에는 우체국이 없습니다.
（あちらには郵便局がありません）

ワンポイント　『있다』の否定形は、反義語の『없다』を使います。
『없다』は「ない」〔無生物〕、「いない」〔生物〕の意味。

●疑問パターン●

文末の『있습니다』を『있습니까?』に変えるだけ！

저쪽에 ＋ 名詞（우체국） ＋ 助詞（이） ＋ **있습니까** ？

名詞 パッチム無 ＋ 助詞（가）

チョチョゲ　ウチェグギ　イッスンムニカ
저쪽에 우체국이 있습니까?
（あちらに郵便局がありますか？）

~があります／~이 있습니다

答え方　네, 있습니다.　　（はい、あります）
　　　　아니요, 없습니다.（いいえ、ありません）

応用パターンで言ってみよう!

시간이 별로 없습니다.
<シガニ　ビョルロ　オップスンムニダ>
時間があまりありません。

자리가 없습니다.
<チャリガ　オップスンムニダ>
席がありません。

근처에 책방이 있습니까?
<クンチョエ　チェックパンイ　イッスンムニカ>
近くに本屋がありますか？

호텔에 환전하는 곳이 있습니까?
<ホテレ　ファンジョナヌン　ゴシ　イッスンムニカ>
ホテルに両替するところがありますか？

흡연석이 있습니까?
<フビョンソギ　イッスンムニカ>
喫煙席がありますか？

메뉴가 있습니까?
<メニュガ　イッスンムニカ>
メニューがありますか？

아무도 없습니까?
<アムド　オップスンムニカ>
誰もいませんか？

ワンポイント　『아무도』誰も

3 〜します ①

〜습니다

基本フレーズ

チョヌン　アチメ　パンウル　モックスンムニダ
저는 아침에 빵을 먹습니다.
私は朝、パンを食べます。

こんなときに使おう!
「朝は何を食べますか?」と聞かれて…

『動詞＋습니다／ㅂ니다』は「〜します」という表現です。
動詞基本形の語尾『다』を取って『습니다／ㅂ니다』をくっつけ、ふだんの習慣や現在の状態を表す表現です。ㄹパッチム語幹（놀다）はパッチムが脱落し、『ㅂ니다』がつきます。

基本パターン

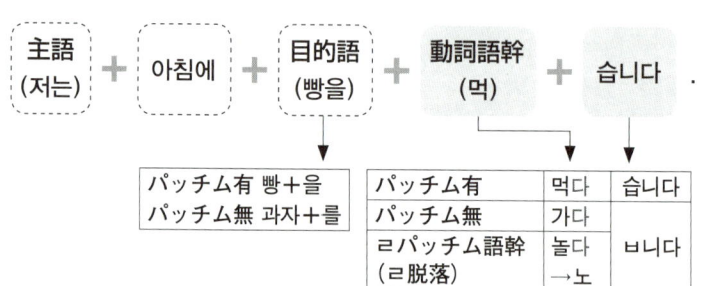

| 主語(저는) | + | 아침에 | + | 目的語(빵을) | + | 動詞語幹(먹) | + | 습니다 |

パッチム有 빵+을		
パッチム無 과자+를		

パッチム有	먹다	습니다
パッチム無	가다	ㅂ니다
ㄹパッチム語幹(ㄹ脱落)	놀다→노	

基本パターンで言ってみよう!

「パッチム有」動詞+습니다

많이 마니 걷습니다ゴッスンムニダ.
たくさん歩きます。

한국 노래를 많이 듣습니다.
ハングン ノレルル マニ ドゥッスンムニダ
韓国の歌をよく聴きます。

주로 청바지를 입습니다.
チュロ チョンバジルル イップスンムニダ
主にジーンズを履きます。

「パッチム無」動詞+ㅂ니다

주말에는 영화를 봅니다.
チュマレヌン ヨンファルル ボンムニダ
週末には映画を観ます。

미와 씨는 술을 잘 마십니다.
ミワ シヌン スルル チャル マシンムニダ
ミワさんはお酒をよく飲みます(大酒飲みです)。

これも知っておこう!

「住む」のように動詞の性格上、状態を表す場合は、『ㅂ니다』で「~している」。『살다』(住む)、『다니다』(通う)、『알다』(知る)、『믿다』(信じる)、『피곤하다』(疲れる) など。

저는 신주쿠에 삽니다.
チョヌン シンジュクエ サンムニダ
私は新宿に住んでいます。

I これだけは!! 絶対覚えたい重要パターン21

応 用

●否定パターン●

1) 動詞の前に『안』を入れるだけ！

저는 아침에 + 빵을 + **안** + 動詞語幹(먹) + 습니다 .

チョヌン　アチメ　パンウル　アン　モックスンムニダ
저는 아침에 빵을 안 먹습니다.
（私は朝、パンを食べません）

2) 文末の『(스)ㅂ니다』を『지 않습니다』に変えるだけ！

저는 아침에 + 빵을 + 動詞語幹(먹) + **지 않** + **습니다** .

チョヌン　アチメ　パンウル　モックチ　アンスンムニダ
저는 아침에 빵을 먹지 않습니다.
（私は朝、パンを食べません）

●疑問パターン●

文末の『(스)ㅂ니다』を『(스)ㅂ니까?』に変えるだけ！

아침에 + 빵을 + 動詞語幹(먹) + **습니까** ?

アチメ　パンウル　モックスンムニカ
아침에 빵을 먹습니까? （朝、パンを食べますか？）

答え方　네, 먹습니다.　　　（はい、食べます）
　　　　아니요, 안 먹습니다.（いいえ、食べません）

~します ①／~습니다

😊 応用パターンで言ってみよう！

토요일은 회사에 안 나갑니다.
土曜日は会社に出ません。

평소에 운동을 안 합니다.
ふだん運動をしません。

담배를 피지 않습니다.
タバコを吸いません。

그런 말은 믿지 않습니다.
そんな言葉は信じません。

아침에 보통 여섯 시에 일어납니까?
朝はふだん6時に起きますか？

콘서트에 자주 갑니까?
コンサートによく行きますか？

> **ワンポイント** 『자주』よく、頻繁に

소설책을 주로 읽습니까?
主に小説を読みますか？

4　〜です ①

〜습니다

基本フレーズ

사람이 많습니다.
（サラミ　マンスンムニダ）

人が多いです。

こんなときに使おう！

「コンサート会場はどんな感じ？」と聞かれて…

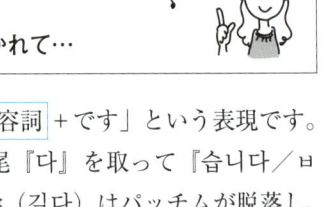

『 形容詞 ＋습니다／ㅂ니다』は「 形容詞 ＋です」という表現です。

パターン3と同じように基本形の語尾『다』を取って『습니다／ㅂ니다』をくっつけます。ㄹパッチム語幹（길다）はパッチムが脱落し、『ㅂ니다』がつきます。

●基本パターン●

사람이 ＋ 形容詞語幹（많） ＋ 습니다．

パッチム有	많다	습니다
パッチム無	크다	
ㄹパッチム語幹（ㄹ脱落）	길다→기	ㅂ니다

基本パターンで言ってみよう!

「パッチム有」形容詞 + 습니다

오늘은 날씨가 춥습니다.
<small>オヌルン ナルシガ チュップスンムニダ</small>
今日は（天気が）寒いです。

일본 집은 대부분 좁습니다.
<small>イルボンチブン デブブン ヂョップスンムニダ</small>
日本の家はたいてい狭いです。

저는 이것이 좋습니다.
<small>ヂョヌン イゴシ ヂョスンムニダ</small>
私はこれがいいです。

「パッチム無／ㄹパッチム語幹」形容詞 + ㅂ니다

제 친구는 키가 큽니다.
<small>ヂェ チングヌン キガ クンムニダ</small>
私の友達は背が高いです。

사람들이 친절합니다.
<small>サランムドゥリ チンヂョランムニダ</small>
みんな親切です。

ワンポイント 『사람들이』を直訳すると「人々が」。『모두』（みんな）の代わりによく使われます。

머리가 깁니다.
<small>モリガ ギンムニダ</small>
髪が長いです。

応 用

●否定パターン●

1) 形容詞の前に『안』を入れるだけ！

사람이 + 안 + 形容詞語幹(많) + 습니다 .

　　　サラミ　アン　マンスンムニダ
사람이 안 많습니다. （人が多くありません）

2) 文末の『(스)ㅂ니다』を『지 않습니다』に変えるだけ！

사람이 + 形容詞語幹(많) + 지 않 + 습니다 .

　　　サラミ　マンチ　アンスンムニダ
사람이 많지 않습니다. （人が多くありません）

●疑問パターン●

文末の『(스)ㅂ니다』を『(스)ㅂ니까?』に変えるだけ！

사람이 + 形容詞語幹(많) + 습니까 ?

　　　サラミ　マンスンムニカ
사람이 많습니까? （人が多いですか？）

　答え方　네, 아주 많습니다. （はい、とても多いです）

　　　　　아니요, 별로 안 많습니다./아니요, 별로 많지 않습니다.
　　　　　（いいえ、あまり多くないです）

〜です ①／〜습니다

😊 応用パターンで言ってみよう！

トキョヌン　ビョルロ　アン　チュプスムニダ
도쿄는 별로 안 춥습니다.
東京はあまり寒くありません。

センガックポダ　アン　ムソプスムニダ
생각보다 안 무섭습니다.
思ったより怖くありません。

クロッケ　オリョプチ　アンスムニダ
그렇게 어렵지 않습니다.
そんなに難しくありません。

コンヌンゴスン　ヒムドゥルジ　アンスムニダ
걷는 것은 힘들지 않습니다.
歩くのは（そんなに）大変じゃありません。

ケンチャンスムニカ
괜찮습니까?
大丈夫ですか？

チェジュドヌン　ムオシ　ユミョンハムニカ
제주도는 무엇이 유명합니까?
済州島は何が有名ですか？

ムスンニョリガ　マシッスムニカ
무슨 요리가 맛있습니까?
料理は何がおいしいですか？

 これも知っておこう！

否定の疑問文は以下のようになります。

ピゴナジ　アンスムニカ
피곤하지 않습니까?
疲れていませんか？

～します ②
～겠습니다

基本フレーズ

チョヌン　ビビンバブル　モッケッスンムニダ
저는 비빔밥을 먹겠습니다.
私はビビンパを食べます。

こんなときに使おう！
レストランなどで「何を食べますか？」と聞かれて…

　日本語はパターン3と同じ「～します」ですが、パターン3の『～습니다』がふだんの習慣や現在の状態を表すのに比べ、『1人称主語＋動詞 語幹＋겠습니다』は「（私がこれから）～します」という近い未来の意志を表します。主語は省略されることがあります。

●基本パターン●

主語（저는） ＋ 目的語（비빔밥을） ＋ 動詞語幹（먹） ＋ 겠습니다 ．

1人称単数	1人称複数
저（私）	저희（私たち）
나（私・僕）	우리（私たち）

基本パターンで言ってみよう!

_{チェガ ガゲッスンムニダ}
제가 가겠습니다.
私が行きます。

_{チグンブト シジャカゲッスンムニダ}
지금부터 시작하겠습니다.
今から始めます。

_{カムサイ パッケッスンムニダ}
감사히 받겠습니다.
ありがたくいただきます。(頂戴いたします。)

_{チョウム ベッケッスンムニダ}
처음 뵙겠습니다.
初めまして。(=初めてお目にかかります。)

_{チャル モッケッスンムニダ}
잘 먹겠습니다.
いただきます。

_{タニョオゲッスンムニダ}
다녀오겠습니다.
行ってきます。

これも知っておこう!

「わかりました」「わかりません」は『~겠습니다』を使います。

_{アルゲッスンムニダ}   _{モルゲッスンムニダ}
알겠습니다. ↔ **모르겠습니다**.
わかりました。 ↔ わかりません。

I これだけは!! 絶対覚えたい重要パターン21

応 用

●否定パターン●

1) 動詞の前に『안』を入れるだけ！

저는 + 비빔밥을 + **안** + 動詞語幹(먹) + 겠습니다 ．

チョヌン　ビビンパブル　アン　モッケッスンムニダ
저는 비빔밥을 안 먹겠습니다.
（私はビビンパを食べません）

2) 文末の『겠습니다』を『지 않겠습니다』に変えるだけ！

저는 + 비빔밥을 + 動詞語幹(먹) + **지 않** + **겠습니다** ．

チョヌン　ビビンパブル　モックチ　アンケッスンムニダ
저는 비빔밥을 먹지 않겠습니다.
（私はビビンパを食べません）

●疑問パターン●

文末の『겠습니다』を『겠습니까?』に変えるだけ！

비빔밥을 + 動詞語幹(먹) + **겠습니까** ?

ビビンパブル　モッケッスンムニカ
비빔밥을 먹겠습니까? （ビビンパを食べますか？）

〜します ②／〜겠습니다

答え方　네, 먹겠습니다.　　　（はい、食べます）
　　　　아니요, 안 먹겠습니다.（いいえ、食べません）

😊 応用パターンで言ってみよう!

거짓말은 안 하겠습니다.
<small>コジンマルン　アナゲッスムニダ</small>
うそは（これから）つきません。

묻지 않겠습니다.
<small>ムッチ　アンケッスムニダ</small>
聞きません。（問いません。）

절대 잊지 않겠습니다.
<small>チョルテ　イッチ　アンケッスムニダ</small>
絶対忘れません。

제 말을 믿겠습니까?
<small>チェ　マルル　ミッケッスムニカ</small>
私の言葉を信じますか？

누구하고 같이 보겠습니까?
<small>ヌグハゴ　ガチ　ボゲッスムニカ</small>
だれと一緒に観ますか？

전화 주시겠습니까?
<small>チョナ　ヂュシゲッスムニカ</small>
お電話、いただけますか？

ワンポイント　『주시다』は『주다』（あげる、くれる）の敬語。

⚠ これも知っておこう!

＜否定疑問文＞

같이 안 가겠습니까?
<small>ガチ　アンガゲッスムニカ</small>
一緒に行きませんか？

6 〜したいです

〜고 싶어요

基本フレーズ♪

チョヌン ヨンファルル ボゴ シッポヨ
저는 영화를 보고 싶어요.
私は映画が観たいです。

こんなときに使おう!
「週末に何がしたい?」と聞かれて…

『 目的語 +을/를+ 動詞 ・ 存在詞 ・ 指定詞 語幹+고 싶어요』は「〜がしたい」という表現です。

助詞の使い方に注目してください。「 目的語 が」は『 目的語 을/를』を使います。『싶어요』の基本形『싶다』は補助形容詞なので、形容詞と同じように活用します。

「〜がほしい」は『갖고 싶어요』(持ちたい/所有したい)と表します。

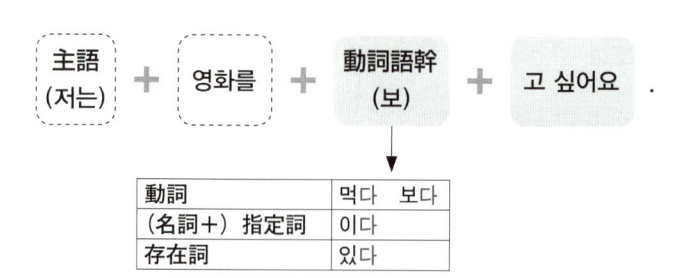

●基本パターン●

主語(저는) + 영화를 + 動詞語幹(보) + 고 싶어요 .

動詞	먹다 보다
(名詞+) 指定詞	이다
存在詞	있다

基本パターンで言ってみよう!

테니스를 배우고 싶어요.
テニスを習いたい。

선물을 주고 싶어요.
プレゼントをあげたい。

손목시계를 받고 싶어요.
腕時計をもらいたい。

올해는 많이 웃고 싶어요.
今年はいっぱい笑いたいです。

한국말을 잘하고 싶어요.
韓国語を上手に話したい。

번역사가 되고 싶어요.
翻訳家になりたい。

좋은 친구이고 싶어요.
いい友達でいたい。

계속 여기 있고 싶어요.
ずっとここにいたい。

応 用

●否定パターン●

1) 動詞の前に『안』を入れるだけ！

主語(저는) + 영화를 + **안** + 動詞語幹(보) + 고 싶어요 .

チョヌン ヨンファルル アン ボゴ シッポヨ
저는 영화를 안 보고 싶어요.
（私は映画を観たくありません）

2) 文末の『고 싶어요』を『고 싶지 않아요』に変えるだけ！

主語(저는) + 영화를 + 動詞語幹(보) + **고 싶지 않아요** .

チョヌン ヨンファルル ボゴ シップチ アナヨ
저는 영화를 보고 싶지 않아요.
（私は映画を観たくありません）

●疑問パターン●

基本パターンに『？』をつけ、語尾を上げて発音するだけ！

영화를 + 動詞語幹(보) + **고 싶어요** ？

ヨンファルル ボゴ シッポヨ
영화를 보고 싶어요? （映画を観たいですか？）

～したいです／～고 싶어요

答え方　네, 보고 싶어요.
　　　　（はい、観たいです）

　　　　아니요, 별로 보고 싶지 않아요.
　　　　（いいえ、あまり観たくありません）

😊 応用パターンで言ってみよう！

^{コンブ　アナゴ　シッポヨ}
공부 안 하고 싶어요.
勉強したくない。

^{ノム　チュウォソ　アムデド　アン　ナガゴ　シッポヨ}
너무 추워서 아무데도 안 나가고 싶어요.
寒すぎてどこにも出かけたくない。

^{チグム　モッコ　シップチ　アナヨ}
지금 먹고 싶지 않아요.
今食べたくない。

^{ビョンウォネ　ガゴ　シップチ　アナヨ}
병원에 가고 싶지 않아요.
病院に行きたくない。

^{クリスマス　ソンムルロ　モルル　ガッコ　シッポヨ}
크리스마스 선물로 뭘 갖고 싶어요?
クリスマスプレゼントに何がほしいですか？

^{モガ　チェイル　ハゴ　シッポヨ}
뭐가 제일 하고 싶어요?
何が一番やりたいですか？

^{オディルル　ヨヘンハゴ　シッポヨ}
어디를 여행하고 싶어요?
どこに旅行したい？

7 ～します ③

～어요

基本フレーズ ♪

ウネヌン アホップ シエ ヨロヨ
은행은 아홉 시에 열어요.
銀行は9時に開きます。

こんなときに使おう!
「銀行は何時から?」と聞かれて…

『 動詞・存在詞 語幹＋아요／어요』は「～します」という表現です。

パターン3の『 動詞 ～습니다』ほど堅くない丁寧表現で、韓国語で最もよく使われる語尾表現です。文末の語調によって疑問・命令・要請の表現としても使います。 動詞・存在詞 語幹が陽母音の時は『아요』、陰母音の時は『어요』がくっつきます。また不規則動詞は語幹や語尾が変化します。(pp.14～15の「表1」参考)

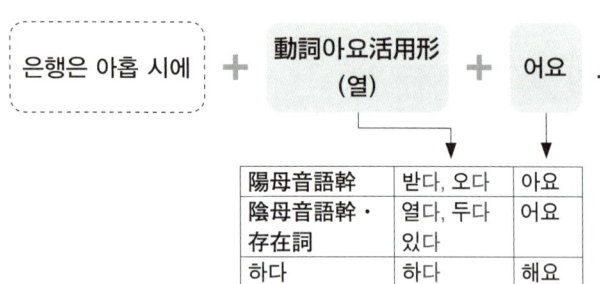

●基本パターン●

은행은 아홉 시에 ＋ 動詞아요活用形 (열) ＋ 어요 .

陽母音語幹	받다, 오다	아요
陰母音語幹・存在詞	열다, 두다, 있다	어요
하다	하다	해요

基本パターンで言ってみよう!

회사에 갈 때는 전철을 타요.
_{フェサエ ガルッテヌン ヂョンチョルル タヨ}
会社に行くときは電車に乗ります。

타나카 씨는 음식을 잘 만들어요.
_{タナカ シヌン ウンムシグル チャル マンドゥロヨ}
田中さんは料理が上手です。

서예를 배워요.
_{ソイェルル ベウォヨ}
書道を習います。

도서관에서 책을 빌려요.
_{トソガネソ チェグル ビルリョヨ}
図書館で本を借ります。

매일 라디오를 들어요.
_{メイル ラディオルル ドゥロヨ}
毎日ラジオを聴きます。

약을 먹으면 빨리 나아요.
_{ヤグル モグミョン パルリ ナアヨ}
薬を飲むと早く治ります。

유월은 비가 많이 와요.
_{ユウォルン ビガ マニ ワヨ}
6月は雨がたくさん降る。

제 친구가 거기에 있어요.
_{チェ チングガ ゴギエ イッソヨ}
私の友達がそこにいます。

Ⅰ これだけは!! 絶対覚えたい重要パターン21

応 用

●否定パターン●

1) 動詞の前に『안』を入れるだけ！

은행은 아홉 시에 + **안** + 動詞아요活用形 (열) + 어요 .

<ruby>은행은<rt>ウネンウン</rt></ruby> <ruby>아홉<rt>アホップ</rt></ruby> <ruby>시에<rt>シエ</rt></ruby> <ruby>안 열어요<rt>アンニョロヨ</rt></ruby>．（銀行は9時に開きません）

2) 文末の『어요／아요』を『지 않아요』に変えるだけ！

은행은 아홉 시에 + 動詞語幹 (열) + **지 않아요** .

<ruby>은행은<rt>ウネンウン</rt></ruby> <ruby>아홉<rt>アホップ</rt></ruby> <ruby>시에<rt>シエ</rt></ruby> <ruby>열지<rt>ヨルジ</rt></ruby> <ruby>않아요<rt>アナヨ</rt></ruby>．（銀行は9時に開きません）

●疑問パターン●

基本パターンに『?』をつけ、語尾を上げて発音するだけ！

은행은 아홉 시에 + 動詞아요活用形 (열) + **어요** ?

<ruby>은행은<rt>ウネンウン</rt></ruby> <ruby>아홉<rt>アホップ</rt></ruby> <ruby>시에<rt>シエ</rt></ruby> <ruby>열어요?<rt>ヨロヨ</rt></ruby> （銀行は9時に開きますか？）

答え方 네, 아홉 시에 열어요．（はい、9時に開きます）
아니요, 아홉 시가 아니라 열 시에 열어요．
（いいえ、9時じゃなくて10時に開きます）

応用パターンで言ってみよう!

많이 안 먹어요.
_{マニ アン モゴヨ}
たくさん食べません。

신문을 안 읽어요.
_{シンムヌル アン ニルゴヨ}
新聞を読みません。

깨워도 일어나지 않아요.
_{ケウォド イロナジ アナヨ}
起こしても起きない。

물이 나오지 않아요.
_{ムリ ナオジ アナヨ}
水が出ません。

한국의 은행도 세 시에 끝나요?
_{ハングゲ ウネンド セシエ クンナヨ}
韓国の銀行も3時に終わりますか?

몇 시간 걸려요?
_{ミョッシガン ゴルリョヨ}
何時間かかりますか?

친구도 같이 와요?
_{チングド ガチ ワヨ}
友達も一緒に来る?

관광지도 없어요?
_{クァンガンヂド オップソヨ}
観光地図、ありませんか?

~します③／~어요

I これだけは!! 絶対覚えたい重要パターン21

8 〜です ②

〜아요

基本フレーズ

기분이 좋아요.
(キブニ ヂョアヨ)

気分がいいです。

こんなときに使おう!
「合格した感想は？」と聞かれて…

『形容詞・指定詞 語幹 ＋아요/어요』は、「〜です」という表現です。
パターン４の『形容詞 〜습니다』ほど堅くない丁寧表現で、韓国語で最もよく使われる語尾表現です。形容詞・指定詞 語幹が陽母音のときは『아요』、陰母音のときは『어요』がくっつきます。また不規則形容詞は語幹や語尾が変化します。(pp. 14〜15の「表１」参考)

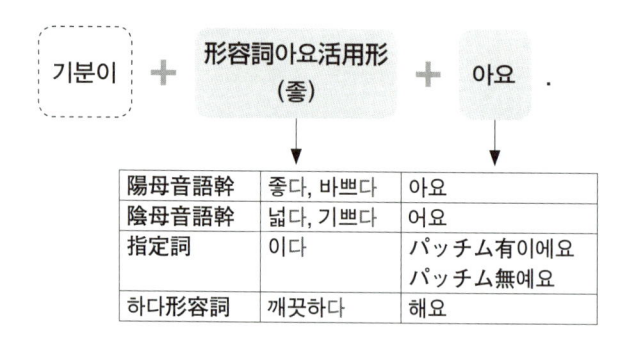

基本パターン

기분이 ＋ 形容詞아요活用形 (좋) ＋ 아요 .

陽母音語幹	좋다, 바쁘다	아요
陰母音語幹	넓다, 기쁘다	어요
指定詞	이다	パッチム有이에요 パッチム無예요
하다形容詞	깨끗하다	해요

基本パターンで言ってみよう！

이번 주는 너무 바빠요.
今週はあまりにも忙しいです。

그 사람은 정말 착해요.
あの人は本当に優しい。

날씨가 더워요.
（天気が）暑いです。

머리가 좀 아파요.
頭がちょっと痛い。

옆방이 너무 시끄러워요.
隣の部屋がうるさすぎです。

하늘이 참 파래요.
空がとても青いです。

영화가 재미있어요.
映画がおもしろい。

음식이 뭐든지 다 맛있어요.
料理は何でも全部おいしいです。

応 用

●否定パターン●

1) 形容詞の前に『안』を入れるだけ！

기분이 + **안** + 形容詞아요活用形(좋) + 아요 .

キブニ　アン　ヂョアヨ
기분이 안 좋아요. （気分が良くありません）

2) 文末の『아요/어요』を『지 않아요』に変えるだけ！

기분이 + 形容詞語幹(좋) + **지 않아요** .

キブニ　ヂョッチ　アナヨ
기분이 좋지 않아요. （気分が良くありません）

●疑問パターン●

基本パターンに『？』をつけ、語尾を上げて発音するだけ！

기분이 + 形容詞아요活用形(좋) + **아요** ?

キブニ　ヂョアヨ
기분이 좋아요? （気分がいいですか？）

答え方　네, 기분이 좋아요. （はい、気分がいいです）
　　　　아니요, 기분이 별로 안 좋아요.
　　　　（いいえ、気分が(あまり)良くありません）

~です ②／~아요

😊 応用パターンで言ってみよう!

별로 안 예뻐요.
<small>ビョルロ アン ニェポヨ</small>
あまりかわいくない。

백화점보다 안 비싸요.
<small>ペカジョムボダ アン ピッサヨ</small>
デパートより高くありません。

헤어져도 슬프지 않아요.
<small>ヘオジョド スルプジ アナヨ</small>
別れても悲しくない。

피해가 적지 않아요.
<small>ピヘガ チョックチ アナヨ</small>
被害は小さくない。

이것도 매워요?
<small>イゴット メウォヨ</small>
これも辛いですか?

티 머니는 편리해요?
<small>ティ モニヌン ピョンリヘヨ</small>
ティモニは便利ですか?

> **ワンポイント** 『티 머니』(T-money) は韓国で使われている電子交通カードで日本のパスモのようなもの。

⚠ これも知っておこう!

＜否定疑問文＞

배 안 고파요?
<small>ペ アンゴパヨ</small>
お腹すかない?

9 〜しました
〜았어요

基本 フレーズ

공원에서 <ruby>놀았어요<rt>ノラッソヨ</rt></ruby>.
(コンウォネソ)

公園で遊びました。

こんなときに使おう!
「昨日は何をしたの?」と聞かれて…

『 動詞 ・ 存在詞 語幹 +았어요/었어요』は、「〜しました」という過去表現です。

※注: 動詞 の過去否定「〜していません」は、「〜している」という現在進行形の過去形ではありません。

| 現在否定 | 안〜아/어요 (〜しない) | 〜지 않아요 (〜しません) |
| 過去否定 | 안〜았어요 (〜しなかった) | 〜지 않았어요 (〜していません) |

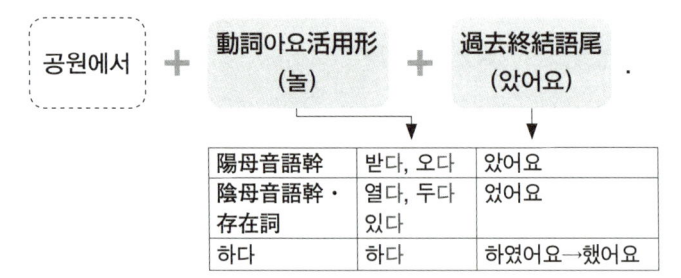

●基本パターン●

공원에서 + 動詞아요活用形 (놀) + 過去終結語尾 (았어요) .

陽母音語幹	받다, 오다	았어요
陰母音語幹・存在詞	열다, 두다 있다	었어요
하다	하다	하였어요→했어요

基本パターンで言ってみよう！

<ruby>콘서트를<rt>コンソトゥルル</rt></ruby> <ruby>봤어요<rt>バッソヨ</rt></ruby>.
コンサートを見ました。

<ruby>어제는<rt>オジェヌン</rt></ruby> <ruby>회사<rt>フェサ</rt></ruby> <ruby>동료들과<rt>ドンリョドゥルガ</rt></ruby> <ruby>만났어요<rt>マンナッソヨ</rt></ruby>.
昨日は会社の同僚たちと会いました。

<ruby>일 년동안<rt>イルニョントンアン</rt></ruby> <ruby>중국어를<rt>ヂュングゴルル</rt></ruby> <ruby>배웠어요<rt>ペウォッソヨ</rt></ruby>.
1年間、中国語を習いました。

<ruby>비디오가게에서<rt>ビディオカゲエソ</rt></ruby> <ruby>CD를<rt>シディルル</rt></ruby> <ruby>빌렸어요<rt>ビルリョッソヨ</rt></ruby>.
ビデオ屋でCDを借りた。

<ruby>생일선물로<rt>センイルソンムルロ</rt></ruby> <ruby>시계를<rt>シゲルル</rt></ruby> <ruby>받았어요<rt>パダッソヨ</rt></ruby>.
誕生日のプレゼントに時計をもらった。

<ruby>올 겨울엔<rt>オルキョウレン</rt></ruby> <ruby>눈이<rt>ヌニ</rt></ruby> <ruby>많이<rt>マニ</rt></ruby> <ruby>왔어요<rt>ワッソヨ</rt></ruby>.
今年の冬は雪がたくさん降った。

<ruby>작년까지<rt>チャンニョンカジ</rt></ruby> <ruby>스페인에<rt>スペイネ</rt></ruby> <ruby>있었어요<rt>イッソッソヨ</rt></ruby>.
去年までスペインにいました。

<ruby>시간이<rt>シガニ</rt></ruby> <ruby>없었어요<rt>オップソッソヨ</rt></ruby>.
時間がありませんでした。

応 用

●否定パターン●

1) 動詞の前に『안』を入れるだけ！

　　공원에서 ＋ **안** ＋ 動詞아요活用形（놀） ＋ 았어요．

　　　　　コンウォネソ　アン　ノラッソヨ
　　공원에서 안 놀았어요． （公園で遊びませんでした）

2) 文末の『았어요/었어요』を『지 않았아요』に変えるだけ！

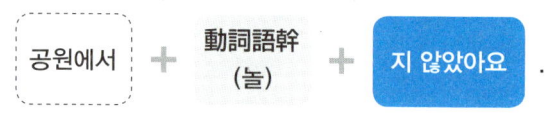

　　공원에서 ＋ 動詞語幹（놀） ＋ **지 않았아요** ．

　　　　　コンウォネソ　ノルジ　アナッソヨ
　　공원에서 놀지 않았아요．
　　（公園で遊びませんでした）

●疑問パターン●

基本パターンに『？』をつけ、語尾を上げて発音するだけ！

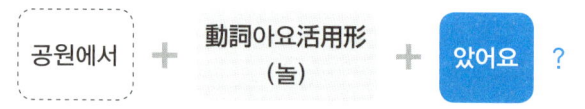

　　공원에서 ＋ 動詞아요活用形（놀） ＋ **았어요** ？

　　　　　コンウォネソ　ノラッソヨ
　　공원에서 놀았어요? （公園で遊びましたか？）

　　答え方　네, 공원에서 놀았어요． （はい、公園で遊びました）
　　　　　아니요, 공원에서는 안 놀았어요．
　　　　　（いいえ、公園では遊びませんでした）

~しました／~았어요

😊 応用パターンで言ってみよう！

아직 안 먹었어요.
まだ食べていません。

비싸서 안 샀어요.
高いので買わなかった。

방을 예약하지 않았아요.
部屋を予約していません。

많이 기다렸어요?
（長い時間）待った？

감기는 다 나았어요?
風邪はすっかり治った？

바쁜 일이 있었어요?
忙しい仕事があったの？

⚠️ これも知っておこう！

큰 지진이 있었는데 놀라지 않았어요?
大きな地震があったけど、驚かなかった？

ワンポイント　過去の否定疑問文『안~ 았/었어요?』『~지 않았어요?』

10 〜かったです / 〜았어요

基本フレーズ

사람이 아주 **많았어요**.
(サラミ アジュ マナッソヨ)

人がとても多かったです。

こんなときに使おう!

「この間のコンサートはどうだった?」と聞かれて…

形容詞・指定詞 語幹に過去終結語尾『았어요/었어요』がくっついて、「〜かったです」「〜でした」という 形容詞・指定詞 の過去を表す表現です。

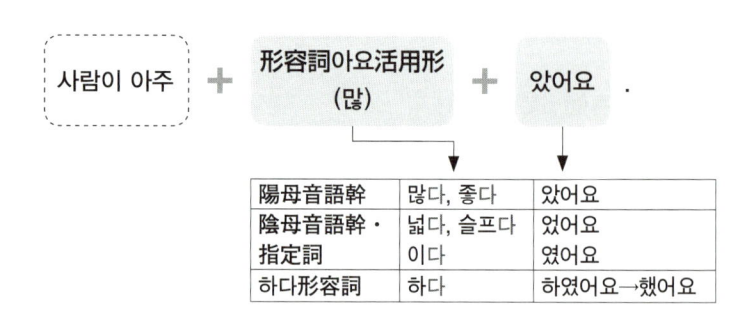

基本パターン

사람이 아주 + 形容詞아요活用形 (많) + 았어요 .

陽母音語幹	많다, 좋다	았어요
陰母音語幹・指定詞	넓다, 슬프다 이다	었어요 였어요
하다形容詞	하다	하였어요→했어요

基本パターンで言ってみよう!

만나서 반가웠어요.
お会いできてうれしかったです。

콘서트가 정말 좋았어요.
コンサートがすばらしかった。

신부가 너무 너무 예뻤어요.
花嫁さんがすごくきれいでした。

호텔 방은 조용하고 깨끗했어요.
ホテルの部屋は静かで、きれいでした。

일정이 빡빡해서 좀 힘들었어요.
日程がタイトでちょっと大変でした。

이번 여행은 편했어요.
今回の旅行は楽でした。

음식이 다 맛있었어요.
料理は何でも全部おいしかったです。

혼자 가는 여행은 처음이었어요.
一人旅は初めてでした。

ワンポイント 『혼자 가는 여행』は「一人で行く旅行」→「一人旅」。

応　用

●否定パターン●

1) 形容詞の前に『안』を入れるだけ！

　　사람이 ＋ 안 ＋ 形容詞아요活用形（많） ＋ 았어요 ．

　　　　　　サラミ　アン　マナッソヨ
　　사람이 안 많았어요．（人が多くありませんでした）

2) 文末の『았어요/었어요』を『지 않았어요』に変えるだけ！

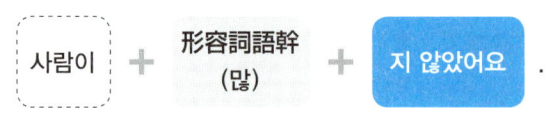

　　사람이 ＋ 形容詞語幹（많） ＋ 지 않았어요 ．

　　　　　　サラミ　マンチ　アナッソヨ
　　사람이 많지 않았어요．（人が多くありませんでした）

●疑問パターン●

基本パターンに『？』をつけ、語尾を上げて発音するだけ！

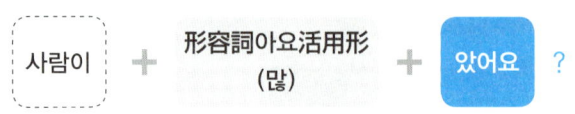

　　사람이 ＋ 形容詞아요活用形（많） ＋ 았어요 ？

　　　　　　サラミ　マナッソヨ
　　사람이 많았어요？（人が多かったですか？）

　　答え方　**네, 아주 많았어요．**（はい、人がとても多かったです）
　　　　　　아니요, 별로 안 많았어요．
　　　　　　（いいえ、人があまり多くありませんでした）

~かったです／~았어요

応用パターンで言ってみよう!

전혀 안 무서웠어요.
全然怖くなかった。

생각보다 안 비쌌어요.
思ったより高くなかった。

그렇게 달지 않았어요.
そんなに甘くなかった。〔味〕

택시로 갔더니 별로 멀지 않았어요.
タクシーで行ったら、そんなに遠くありませんでした。

그 드라마 재미있었어요?
そのドラマ、おもしろかった？

ワンポイント 『재미있었다, 맛있었다』の否定は『재미없었다, 맛없었다』です。

これも知っておこう!

過去の否定疑問文は『~지 않았어요?(안~ 았/었어요?)』

시험이 어렵지 않았어요?
試験は難しくなかった？

11 〜しています ①

〜고 있어요

基本フレーズ

(チョヌン)　チェグル　イルコ　イッソヨ
(저는) 책을 읽고 있어요.

(私は) 本を読んでいます。

こんなときに使おう!
「何しているの？」と聞かれて…

　『 動詞 +고 있어요』は「〜しています」という、動作が今まさに進行している状態や習慣的に反復されていることを表します。

　「着る」「履く」のような着衣を表す動詞がくっつくと、「服を着ている (状態)」が継続していることを表します。

※注：日本語の「〜ている」の用例で、以下は『〜고 있어요』を使いません。①「止まっている」「死んでいる」など、その動きが継続・進行中であることを表すとき。②「似ている」「疲れている」など、その状態があることを表すとき。③「(過去) に会っている」など、過去に完了した動作を表すとき。

●基本パターン●

책을 ＋ 動詞語幹 (읽) ＋ 고 있어요 .

60

基本パターンで言ってみよう!

텔레비전을 보고 있어요.
テレビを観ています。

비가 오고 있어요.
雨が降っています。

지금 그쪽으로 가고 있어요.
今、そちらに向かっています。

사랑을 하고 있어요.
恋をしています。

버스를 기다리고 있어요.
バスを待っています。

지금 인천에 살고 있어요.
今、仁川に住んでいます。

これも知っておこう!

着衣動詞の例 『입다』(着る)、『신다』(履く)、『쓰다』(被る)、『들다』(持つ) など。

파란 티셔츠에 청바지를 입고 있어요.
青いTシャツにジーンズを履いています。

応 用

●否定パターン●

1) 動詞の前に『안』を入れるだけ！

책을 + 안 + 動詞語幹(읽) + 고 있어요 .

(チョヌン) チェグル アニルコ イッソヨ
(저는) 책을 안 읽고 있어요.
((私は) 本を読んでいません)

2) 文末の『〜고 있어요』を『〜고 있지 않아요』に変えるだけ！

책을 + 動詞語幹(읽) + 고 있지 않아요 .

(チョヌン) チェグル イルコ イッチ アンスムニダ
(저는) 책을 읽고 있지 않습니다.
((私は) 本を読んでいません)

ワンポイント 『-않습니다』は『않아요』より丁寧な形。

●疑問パターン●

基本パターンに『?』をつけ、語尾を上げて発音するだけ！

책을 + 動詞語幹(읽) + 고 있어요 ?

(タンシヌン) チェグル イルコ イッソヨ
(당신은) 책을 읽고 있어요?
((あなたは) 本を読んでいますか？)

~しています ①／~고 있어요

答え方 네, 읽고 있어요.　　　　（はい、読んでいます）
　　　　아니요, 읽고 있지 않아요. （いいえ、読んでいません）

応用パターンで言ってみよう!

지금 비는 안 오고 있어요.
今、雨は降ってないよ。

아무도 우산을 안 쓰고 있어요.
誰も傘をさしていないよ。

ワンポイント　『우산을 쓰다』傘をさす

아무것도 안 하고 있어요.
何もしていないよ。

예약을 받고 있지 않아요.
予約を受け付けていません。

듣고 있어요?
聞いていますか？

학원에 잘 다니고 있어요?
塾にちゃんと通っている？

매주 드라마를 보고 있어요?
毎週、ドラマを観ている？

12 〜しています ②

〜아 있어요

基本フレーズ

의자에 앉아 있어요.
ウィジャエ アンジャ イッソヨ

椅子に座っています。

こんなときに使おう!
「お友達はどこ？」と聞かれて…

『動詞 + 아 있어요／어 있어요』で「〜しています」という状態を表す表現です。動詞 は、目的格助詞『을／를』（を）を伴わない動詞や自動詞が来ます。

※参考

『을／를』（を）を伴わない動詞：『피다』(咲く)、『앉다』(座る)

自動詞：『문이열리다』（ドアが開く）

他動詞：『문을열다』（ドアを開ける）

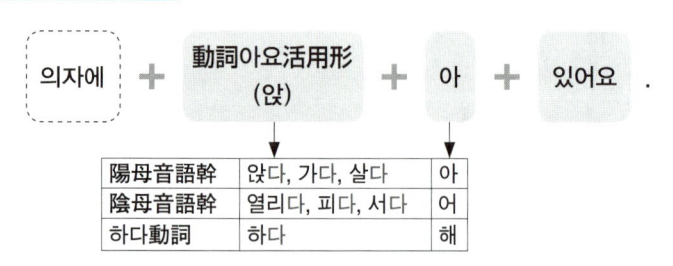

基本パターン

의자에 + 動詞아요活用形 (앉) + 아 + 있어요 .

陽母音語幹	앉다, 가다, 살다	아
陰母音語幹	열리다, 피다, 서다	어
하다動詞	하다	해

基本パターンで言ってみよう!

벚꽃이 많이 피어 있어요.
桜がたくさん咲いています。

지금 미국에 가 있어요.
今、アメリカに行っています。

도심에서 떨어져 있습니다.
都心から離れています。

커피에는 카페인이 들어 있어요.
コーヒーにはカフェインが入っているよ。

『박물관은 살아 있다』라는 영화를 봤어요.
『博物館は生きている』という映画を観ました。

ワンポイント 『~라는』(直接引用) ~という

벽에 걸려 있어요.
壁にかかっている。

지난 주 부터 입원해 있어요.
先週から入院しています。

応 用

●否定パターン●

1) 動詞の前に『안』を入れるだけ！

의자에 + **안** + 動詞아요活用形(앉) + 아 + 있어요 .

<ruby>의자에<rt>ウィジャエ</rt></ruby> <ruby>안<rt>アナンジャ</rt></ruby> 앉아 <ruby>있어요<rt>イッソヨ</rt></ruby>. （椅子に座っていません）

2) 文末の『있어요』を『있지 않아요/않습니다』に変えるだけ！

의자에 + 動詞아요活用形(앉) + 아 + **있지 않습니다** .

<ruby>의자에<rt>ウィジャエ</rt></ruby> <ruby>앉아<rt>アンジャ</rt></ruby> <ruby>있지<rt>イッチ</rt></ruby> <ruby>않습니다<rt>アンスンムニダ</rt></ruby>. （椅子に座っていません）

●疑問パターン●

基本パターンに『？』をつけ、語尾を上げて発音するだけ！

의자에 + 動詞아요活用形(앉) + **아** + **있어요** ？

<ruby>의자에<rt>ウィジャエ</rt></ruby> <ruby>앉아<rt>アンジャ</rt></ruby> <ruby>있어요<rt>イッソヨ</rt></ruby>? （椅子に座っていますか？）

答え方　네, 앉아 있어요.　　　（はい、座っています）
　　　　아니요, 앉아 있지 않아요. （いいえ、座っていません）

応用パターンで言ってみよう！

文이 안 닫혀 있어요.
ムニ アン ダチョ イッソヨ
ドアが閉まっていない。

신문에 안 나와 있어요.
シンムネ アン ナワ イッソヨ
新聞に出ていない。

프로 팀에 소속되어 있지 않아요.
プロティメ ソソックテオ イッチ アナヨ
プロチームに所属していません。

안개가 껴 있어요?
アンゲガ キョ イッソヨ
霧がかかっている？

ワンポイント 『안개가 끼다』霧がかかる

책상 서랍에 들어 있어요?
チェックサン ソラベ ドゥロ イッソヨ
机の引き出しに入っていますか？

これも知っておこう！

過去形「～していました」は『아/어 있었어요』。

좀 피곤해서 하루종일 누워 있었어요.
チョム ピゴネソ ハルジョンイル ヌウォ イッソッソヨ
ちょっと疲れて一日中、横になっていました。

13 〜と思います ①

〜을 거예요

基本フレーズ

잘 맞을 거예요.
チャル　マズル　コエヨ
（サイズが）合うと思います。

こんなときに使おう！
洋服をプレゼントされて…

『〜(으)ㄹ 거예요』は「〜と思います」という話者の推測を表す表現です。『〜』には、動詞、形容詞、指定詞、存在詞 が来ます。

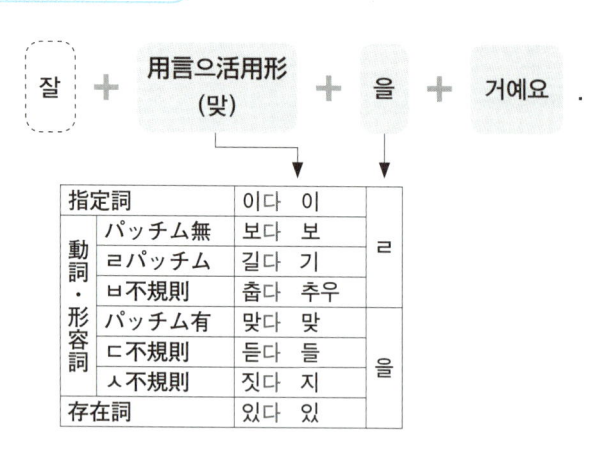

基本パターン

잘 + 用言の活用形 (맞) + 을 + 거예요.

指定詞		이다　이	ㄹ
動詞・形容詞	パッチム無	보다　보	
	ㄹパッチム	길다　기	
	ㅂ不規則	춥다　추우	
	パッチム有	맞다　맞	을
	ㄷ不規則	듣다　들	
	ㅅ不規則	짓다　지	
存在詞		있다　있	

🙂 基本パターンで言ってみよう!

아마 웃을 거예요.
たぶん笑うと思います。

내일은 날씨가 좀 추울 거예요.
明日はちょっと寒いと思います。

약을 먹었으니까 금방 나을 거예요.
薬を飲んだから、すぐ治ると思いますよ。

보고 싶을 거예요.
会いたいと思います。

거기에 있을 거예요.
そこにあると思います。

❗ これも知っておこう!

(省略されても)主語が1人称の時は『 動詞 + (으)ㄹ 거예요』で「~します」という話者の強い意志を表します。

(저는) 꼭 갈 거예요.
(私は)必ず行きます。

応 用

●否定パターン●

1) 用言の前に『안』を入れるだけ！

　　잘 ＋ 안 ＋ 用言ㅇ活用形 (맞) ＋ 을 ＋ 거예요 ．

　　チャル アン マズル コエヨ
　　잘 안 맞을 거예요． （あまり合わないと思います）

2) 文末の『(으)ㄹ 거예요』を『지 않을 거예요』に変えるだけ！

　　잘 ＋ 用言語幹 (맞) ＋ 지 않 ＋ 을 ＋ 거예요 ．

　　チャル マッチ アヌル コエヨ
　　잘 맞지 않을 거예요． （あまり合わないと思います）

●疑問パターン●

文末の『(으)ㄹ 거예요』を『(으)ㄹ까요?』に変えるだけ！

　　잘 ＋ 用言ㅇ活用形 (맞) ＋ 을까요 ？

　　チャル マズルカヨ
　　잘 맞을까요? （よく合うと思いますか？）

　　答え方　네, 잘 맞을 거예요．　　（はい、合うと思います）
　　　　　　아니요, 잘 안 맞을 거예요．（いいえ、合わないと思います）

~と思います ①／～을 거예요

😄 応用パターンで言ってみよう!

_{イ イルン ネイルカジ アン クンナル コエヨ}
이 일은 내일까지 안 끝날 거예요.
この仕事は明日まで終わらないと思う。

_{ビヌン アノル コエヨ}
비는 안 올 거예요.
雨は降らないと思う。

_{ヒムドゥルジ アヌル コエヨ}
힘들지 않을 거예요.
大変じゃないと思う。

_{マニ ヌッチ アヌル コエヨ}
많이 늦지 않을 거예요.
そんなに遅れないと思います。

_{チョナガ オルカヨ}
전화가 올까요?
電話が来ると思いますか？（来るでしょうか？）

_{イ オシ オウリルカヨ}
이 옷이 어울릴까요?
この服が似合うでしょうか？

_{オヌ ゴシ マシッスルカヨ}
어느 것이 맛있을까요?
どれがおいしいと思う？

14 〜すればいいよ

〜으면 돼요

基本フレーズ ♪

여기^{ヨギ}에서 타^タ면 돼^デ요^ヨ.
ここで乗ればいいですよ。

こんなときに使おう!
「バスはどこで乗るのですか?」と聞かれて…

『〜(으)면 돼요』は「〜すればいいよ」「〜すれば大丈夫ですよ」という表現です。『(으)면』は条件・仮定を表す語尾。『〜』には 動詞 、形容詞 、 存在詞 、 指定詞 が来ます。

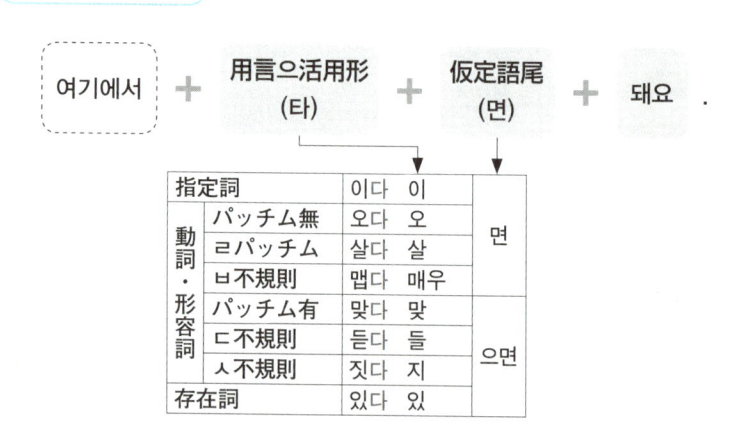

基本パターン

여기에서 + 用言の活用形 (타) + 仮定語尾 (면) + 돼요 .

指定詞		이다	이	면
動詞・形容詞	パッチム無	오다	오	
	ㄹパッチム	살다	살	
	ㅂ不規則	맵다	매우	
	パッチム有	맞다	맞	으면
	ㄷ不規則	듣다	들	
	ㅅ不規則	짓다	지	
存在詞		있다	있	

基本パターンで言ってみよう!

여기에서 기다리면 돼요.
ここで待てばいいよ。

모를 때는 물으면 돼요.
わからないときは聞けばいいよ。

컴퓨터로 예약하면 돼요.
パソコンで予約すればいいよ。

한 번만 더 이기면 돼요.
もう一回、勝てばいいよ。

조용히 있으면 돼요.
静かにしていれば大丈夫ですよ。

자전거로 가면 돼요.
自転車で行けばいいよ。

음식이 맛있으면 돼요.
料理がおいしければOKです。

応　用

●否定パターン●

1) 文末の『돼요』の前に『안』を入れるだけ！

여기에서 ＋ 用言ㅁ活用形 (타) ＋ 면 ＋ **안** ＋ 돼요 ．

여기에서 타면 **안** 돼요．（ここで乗ってはいけません）
ヨギエソ　タミョン　アン　デヨ

2) 用言の前に『안』を入れるだけ！

여기에서 ＋ **안** ＋ 用言ㅁ活用形 (타) ＋ 면 ＋ 돼요 ．

여기에서 **안** 타면 돼요．（ここで乗らなければいいよ）
ヨギエソ　アン　タミョン　デヨ

●疑問パターン●

基本パターンに『？』をつけ、語尾を上げて発音するだけ！

여기에서 ＋ 用言ㅁ活用形 (타) ＋ **면** ＋ **돼요** ？

여기에서 **타면 돼요?**（ここで乗ればいい？）
ヨギエソ　タミョン　デヨ

答え方　네, 여기에서 타면 돼요.（はい、ここで乗ればいいですよ）
　　　　아니요, 여기에서 타면 안 돼요.
　　　　（いいえ、ここで乗ってはいけません）

応用パターンで言ってみよう！

고기는 먹으면 안 돼요.
肉は食べてはいけません。

여드름은 짜면 안 돼요.
ニキビは潰したらいけません。

쓰레기를 여기에 버리면 안 돼요.
ゴミをここに捨ててはいけません。

안 먹으면 돼요.
食べなければいいよ。

일곱 시에 일어나면 돼요?
7時に起きればいい？

여권이 있으면 돼요?
パスポートがあればいい？

이렇게 하면 돼요?
こうすればいい？

여기에 넣어두면 돼요?
ここに入れておけばいい？

15 （たぶん）～と思います

～을 것 같아요

基本フレーズ

여기는 괜찮을 것 같아요.
ヨギヌン ゲンチャヌルコッ ガタヨ

ここは大丈夫だと思います。

こんなときに使おう！

ここで「写真を撮りたい」と言う相手に…

『～(으)ㄹ 것 같아요』は「～と思います」「～そうです」「～のような気がします」のように、まだ事が起きていない状態での推測を表す表現です。『～』には 動詞 、形容詞 、存在詞 、指定詞 が入ります。

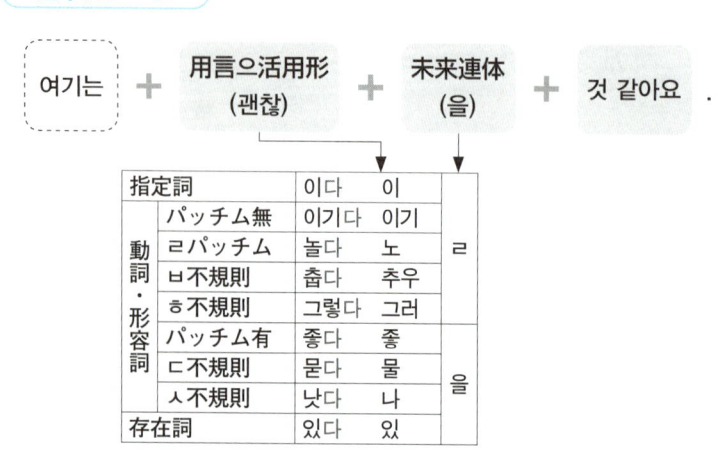

基本パターン

여기는 ＋ 用言의活用形 (괜찮) ＋ 未来連体 (을) ＋ 것 같아요 ．

指定詞		이다	이	
動詞・形容詞	パッチム無	이기다	이기	ㄹ
	ㄹパッチム	놀다	노	
	ㅂ不規則	춥다	추우	
	ㅎ不規則	그렇다	그러	
	パッチム有	좋다	좋	을
	ㄷ不規則	묻다	물	
	ㅅ不規則	낫다	나	
存在詞		있다	있	

基本パターンで言ってみよう!

_{チョム ヒムドゥルコッ ガタヨ}
좀 힘들 것 같아요.
ちょっと難しいと思います。〔丁寧に断るときの言い回し〕

_{キョンチガ ヂョウルコッ ガタヨ}
경치가 좋을 것 같아요.
景色がよさそうです。

_{ト オゴ シプルコッ ガタヨ}
또 오고 싶을 것 같아요.
また来たくなると思います。

_{トゥブニ アジュ チャル オウリルコッ ガタヨ}
두 분이 아주 잘 어울릴 것 같아요.
お二人はとてもよく似合いそう。

_{キリ マニ マキルコッ ガタヨ}
길이 많이 막힐 것 같아요.
道が混みそう。

_{ペゴパソ スロジルコッ ガタヨ}
배고파서 쓰러질 것 같아요.
お腹がすいて倒れそう。

_{チョチョゲ イッスルコッ ガタヨ}
저쪽에 있을 것 같아요.
あちらにありそうです。

_{ナイガ ビステソ クムセ チネジルコッ ガタヨ}
나이가 비슷해서 금새 친해질 것 같아요.
年が同じぐらいなので、すぐ親しくなりそうです。

応　用

●否定パターン●

1) 用言の前に『안』を入れるだけ！

여기는 + **안** + 用言ㅇ活用形（괜찮） + 未来連体（을） + 것 같아요．

　　　　ヨギヌン　アン　ゲンチャヌルコッ　ガタヨ
여기는 안 괜찮을 것 같아요.
（ここは大丈夫じゃなさそうです）

2) 文末の『(으)ㄹ것 같아요』を『지 않을 것 같아요』に変えるだけ！

여기는 + 用言語幹（괜찮） + **지 않** + 未来連体（을） + 것 같아요．

　　　　ヨギヌン　ゲンチャンチ　アヌルコッ　ガタヨ
여기는 괜찮지 않을 것 같아요.
（ここは大丈夫ではないと思います）

●疑問パターン●

基本パターンに『?』をつけ、語尾を上げて発音するだけ！

여기는 + 用言ㅇ活用形（괜찮） + **을 것 같아요** ?

　　　　ヨギヌン　ゲンチャヌルコッ　ガタヨ
여기는 괜찮을 것 같아요? （ここは大丈夫そうですか？）

(たぶん)〜と思います／〜을 것 같아요

答え方　네, 아마 괜찮을 것 같아요.
　　　　（はい、たぶん大丈夫だと思います）
　　　　아니요, 괜찮지 않을 것 같아요.
　　　　（いいえ、大丈夫じゃなさそうです）

応用パターンで言ってみよう!

イ　ヨンファヌン　アン　ムソウルコッ　ガタヨ
이 영화는 안 무서울 것 같아요.
この映画は怖くなさそう。

アン　ニェブルコッ　ガタヨ
안 예쁠 것 같아요.
かわいくなさそう。

メウンニョリヌン　　　チョアハジアヌルコッ　　ガタヨ
매운 요리는 좋아하지 않을 것 같아요.
辛い料理は好きじゃないと思います。

チュップチ　アヌルコッ　ガタヨ
춥지 않을 것 같아요.
寒くないと思います。

ムンジェ　オップスルコッ　ガタヨ
문제 없을 것 같아요?
問題なさそうですか？

イゴ　ガチャイルコッ　ガタヨ
이거 가짜일 것 같아요?
これ、ニセモノだと思う？

これも知っておこう!

＜否定疑問文＞

チェミイッスルコッ　ガッチ　アナヨ
재미있을 것 같지 않아요?
おもしろそうだと思いませんか？

16 ～したようです

～은 것 같아요

基本フレーズ

다 나은 것 같아요.
(タ ナウンゴッ ガタヨ)

すっかり治ったようです。

こんなときに使おう!
「けがの具合はどう?」と聞かれて…

『 動詞 + 動詞過去 連体 (으)ㄴ 것 같아요』は、「～したようです」「～したと思います」のように過去の出来事や動作の完了したことを推測したり、思い出したりする表現です。

パターン15の『未来連体 (으)ㄹ』は、 動詞 ・ 形容詞 ・ 存在詞 ・ 指定詞 共通ですが、過去連体はそれぞれ違うので注意してください。

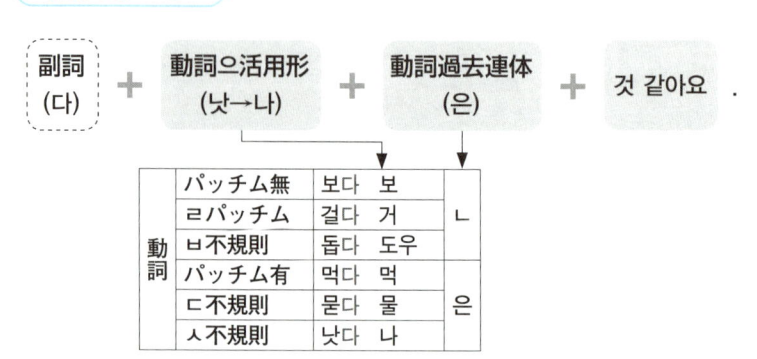

基本パターン

副詞(다) + 動詞으活用形 (낫→나) + 動詞過去連体 (은) + 것 같아요 .

動詞			
	パッチム無	보다	보	ㄴ
	ㄹパッチム	걸다	거	
	ㅂ不規則	돕다	도우	
	パッチム有	먹다	먹	은
	ㄷ不規則	묻다	물	
	ㅅ不規則	낫다	나	

80

基本パターンで言ってみよう!

<ruby>어젯밤에<rt>オジェパメ</rt></ruby> <ruby>너무<rt>ノム</rt></ruby> <ruby>많이<rt>マニ</rt></ruby> <ruby>마신<rt>マシンゴッ</rt></ruby> <ruby>것<rt></rt></ruby> <ruby>같아요<rt>ガタヨ</rt></ruby>.
夕べ飲みすぎたようです。

<ruby>길을<rt>キルル</rt></ruby> <ruby>잃어<rt>イロボリンゴッ</rt></ruby> <ruby>버린<rt></rt></ruby> <ruby>것<rt></rt></ruby> <ruby>같아요<rt>ガタヨ</rt></ruby>.
道に迷ったようです。

<ruby>전화<rt>チョナ</rt></ruby> <ruby>잘못<rt>チャルモッコシンゴッ</rt></ruby> <ruby>거신<rt></rt></ruby> <ruby>것<rt></rt></ruby> <ruby>같은데요<rt>ガトゥンデヨ</rt></ruby>.
電話をおかけ間違いのようですが。

> **ワンポイント** 終結語尾表現『～ㄴ데요』は「～ですが」と断定しない、柔らかい言い方です。

<ruby>어디서<rt>オディソ</rt></ruby> <ruby>많이<rt>マニ</rt></ruby> <ruby>본<rt>ボンゴッ</rt></ruby> <ruby>것<rt></rt></ruby> <ruby>같은데요<rt>ガトゥンデヨ</rt></ruby>.
どこかで見た覚えがあるような気がしますが。

> **ワンポイント** 『많이』は「たくさん、結構」という意味なので、このフレーズでは必ずしも入れなくてもよいです。『많이』があると「何度も見た記憶」、『많이』がないと「記憶が定かではないけれど、確か見たような…」というニュアンスになります。

<ruby>이<rt>イ</rt></ruby> <ruby>문제는<rt>ムンジェヌン</rt></ruby> <ruby>틀린<rt>トゥルリンゴッ</rt></ruby> <ruby>것<rt></rt></ruby> <ruby>같아요<rt>ガタヨ</rt></ruby>.
この問題は間違ったみたい。

<ruby>성금이<rt>ソングミ</rt></ruby> <ruby>많이<rt>マニ</rt></ruby> <ruby>모인<rt>モインゴッ</rt></ruby> <ruby>것<rt></rt></ruby> <ruby>같아요<rt>ガタヨ</rt></ruby>.
義援金がたくさん集まったようです。

I これだけは!! 絶対覚えたい重要パターン21

応　用

●否定パターン●

1) 動詞の前に『안』を入れるだけ！

副詞(아직) + 안 + 動詞ㅇ活用形(낫→나) + 動詞過去連体(은) + 것 같아요．

아직 안 나은 것 같아요．（まだ治っていないようです）
アジック　アン　ナウンゴッ　ガタヨ

2) 文末の『(으)ㄴ것 같아요』を『지 않은 것 같아요』に変えるだけ！

副詞(아직) + 動詞語幹(낫) + 지 않 + 動詞過去連体(은) + 것 같아요．

아직 낫지 않은 것 같아요．（まだ治っていないようです）
アジック　ナッチ　アヌンゴッ　ガタヨ

●疑問パターン●

基本パターンに『?』をつけ、語尾を上げて発音するだけ！

副詞(이제 다) + 動詞ㅇ活用形(낫→나) + 動詞過去連体(은) + 것 같아요 ?

이제 다 나은 것 같아요?
イジェ　ダ　ナウンゴッ　ガタヨ
（もうすっかり治ったような感じ？）

～したようです／～은 것 같아요

答え方　네, 나은 것 같아요.
　　　　（はい、治ったみたいです）

　　　　아니요, 아직 안 나은 것 같아요.
　　　　（いいえ、まだ治っていないようです）

😊 応用パターンで言ってみよう!

안 먹은 것 같아요.
食べていないようです。

청소 안 한 것 같아요.
掃除をしていないようです。（掃除していないように見えます。）

꽃에 물을 안 준 것 같아요.
花に水をやっていないようです。

오지 않은 것 같아요.
来ていないようです。

말한 것 같아요?
言ったと思いますか？

마음이 좀 진정된 것 같아요?
気持ちがちょっと落ち着いたようですか？

17 ～することができます ①

～을 수 있어요

基本フレーズ

チョヌン キムチルル モグル ス イッソヨ
저는 김치를 먹을 수 있어요.

私はキムチを食べることができます。

こんなときに使おう！
食べられる韓国料理を言うときに…

『 動詞 +(으)ㄹ 수 있어요』は「～することができる」、可能を表す「～れる／られる」という表現です。

『 形容詞 ・ 指定詞 ・ 存在詞 +(으)ㄹ 수 있어요』は「～（ことも）あり得る・考えられる」という意味になります。

基本パターン

저는 김치를 + 用言의活用形(먹) + 을 + 수 있어요 .

指定詞		이다	이	
動詞・形容詞	パッチム無	이기다	이기	ㄹ
	ㄹパッチム	놀다	노	
	ㅂ不規則	춥다	추우	
	ㅎ不規則	그렇다	그러	
	パッチム有	좋다	좋	을
	ㄷ不規則	묻다	물	
	ㅅ不規則	낫다	나	
存在詞		있다	있	

基本パターンで言ってみよう!

イビョンウン　ゴチルス　　イッスンムニダ
이 병은 고칠 수 있습니다.
この病気は治せます。

チャジョンゴルル　タルス　イッソヨ
자전거를 탈 수 있어요.
自転車に乗れます。

キンムチルル　ダンムグルス　イッソヨ
김치를 담글 수 있어요.
キムチを漬けられます。

イムンジェヌン　プルス　イッソヨ
이 문제는 풀 수 있어요.
この問題は解くことができます。

スムサルブト　　スルル　マシルス　イッソヨ
스무 살부터 술을 마실 수 있어요.
二十歳からお酒を飲むことができます。

ホンジャソ　チャジャガルス　イッソヨ
혼자서 찾아 갈 수 있어요.
一人で行くことができます。

ワンポイント　『찾아가다』(目的地を探して) 訪ねて行く

チュンブニ　イッスルス　イッソヨ
충분히 있을 수 있어요.
十分あり得ます。(あることも可能です。)

応 用

●否定パターン●

『(으)ㄹ 수 있어요』を『(으)ㄹ 수 없어요』に変えるだけ！

저는 김치를 ＋ 用言ㅇ活用形 (먹) ＋ 을 ＋ 수 없어요 ．

チョヌン ギムチルル モグルス オップソヨ
저는 김치를 먹을 수 없어요.
（私はキムチを食べられません）

ワンポイント 不可能表現『저는 김치를 못 먹어요』（p.128）参照。

●疑問パターン●

基本パターンに『?』をつけ、語尾を上げて発音するだけ！

김치를 ＋ 用言ㅇ活用形 (먹) ＋ 을 ＋ 수 있어요 ？

(タンシヌン) キムチルル モグルス イッソヨ
(당신은) 김치를 먹을 수 있어요?
（(あなたは) キムチを食べられますか？）

答え方　네, 먹을 수 있어요. （はい、食べられます）

아니요, 먹을 수 없어요.
（いいえ、食べることができません）

아니요, 못 먹어요. （いいえ、食べられません）

（パターン 33　参照）

~することができます ①／~을 수 있어요

😊 応用パターンで言ってみよう!

<ruby>믿을<rt>ミドゥルス</rt></ruby> <ruby>수<rt></rt></ruby> <ruby>없어요<rt>オップソヨ</rt></ruby>.
信じられません。

<ruby>당신을<rt>タンシヌル</rt></ruby> <ruby>사랑할<rt>サランハルス</rt></ruby> <ruby>수<rt></rt></ruby> <ruby>없어요<rt>オップソヨ</rt></ruby>.
あなたを愛することができません。

<ruby>한자를<rt>ハンチャルル</rt></ruby> <ruby>쓸<rt>スル</rt></ruby> <ruby>수는<rt>スヌン</rt></ruby> <ruby>없지만<rt>オップチマン</rt></ruby> <ruby>읽을 수는<rt>イルグルスヌン</rt></ruby> <ruby>있어요<rt>イッソヨ</rt></ruby>.
漢字は書けないけど、読めます。

> **ワンポイント** 『수 있다』の間に助詞を入れて、もっと細かいニュアンスを表すことができます。『~수는 있다』(~することはできる)、『~수도 있다』(~することもできる)

<ruby>술을<rt>スルル</rt></ruby> <ruby>마셔서<rt>マショソ</rt></ruby> <ruby>지금은<rt>チグムン</rt></ruby> <ruby>운전을<rt>ウンジョヌル</rt></ruby> <ruby>할<rt>ハルス</rt></ruby> <ruby>수<rt></rt></ruby> <ruby>없어요<rt>オップソヨ</rt></ruby>.
お酒を飲んだので、今は運転することができません。

<ruby>이<rt>イ</rt></ruby> <ruby>전화기로<rt>ヂョナギロ</rt></ruby> <ruby>국제전화를<rt>グックチェジョナルル</rt></ruby> <ruby>걸<rt>ゴルス</rt></ruby> <ruby>수<rt></rt></ruby> <ruby>있어요<rt>イッソヨ</rt></ruby>?
この電話機で国際電話をかけられますか?

<ruby>지금<rt>チグム</rt></ruby> <ruby>얘기<rt>イェギ</rt></ruby> <ruby>좀<rt>ヂョム</rt></ruby> <ruby>할<rt>ハルス</rt></ruby> <ruby>수<rt></rt></ruby> <ruby>있어요<rt>イッソヨ</rt></ruby>?
今ちょっと話せる?

18 〜することができます ②

〜을 줄 알아요

基本 フレーズ

ナヌン　ジャップチェルル　マンドゥルチュル　アラヨ
나는 잡채를 만들 줄 알아요.

私はチャプチェを作れます。
（作り方を知っています。）

こんなときに使おう!
「どんな韓国料理が作れますか？」と聞かれて…

『 動詞 語幹 + (으)ㄹ 줄 알다』は「（その方法を知っている・その能力があるから）〜できる」という表現です。パターン17の『〜(으)ㄹ 수 있다』のほうが広い意味の「〜ができる」という表現です。

基本パターン

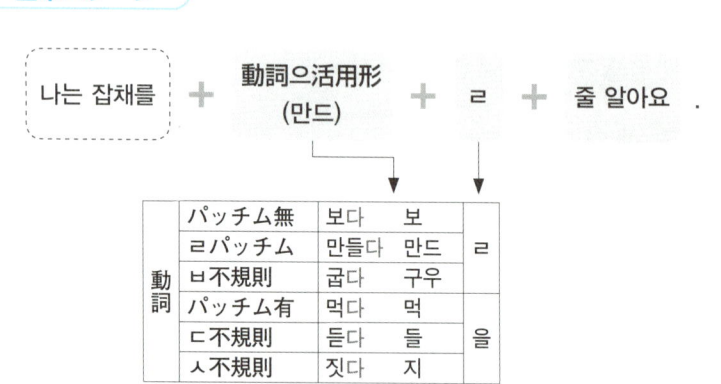

나는 잡채를 + 動詞ㅇ活用形 (만드) + ㄹ + 줄 알아요 .

動詞			
	パッチム無	보다	보	ㄹ
	ㄹパッチム	만들다	만드	
	ㅂ不規則	굽다	구우	
	パッチム有	먹다	먹	을
	ㄷ不規則	듣다	들	
	ㅅ不規則	짓다	지	

> 基本パターンで言ってみよう!

^{チェボントゥルル スルチュル アラヨ}
재봉틀을 쓸 줄 알아요.
ミシンが使えます。(使い方を知っています。)

^{ヘオムチル チュル アラヨ}
헤엄칠 줄 알아요.
泳げます。(泳ぐ方法を知っています。)

^{チュングゴルル ヂョム ハルチュル アラヨ}
중국어를 좀 할 줄 알아요.
中国語が少しできます。

^{サラムル ボルチュル アラヨ}
사람을 볼 줄 알아요.
人を見る目があります。

> **ワンポイント** 『사람을 볼 줄 알다』は、人(の良し悪し)を見る能力があるので「見る目がある」。

^{タック チルチュル アラヨ}
탁구 칠 줄 알아요.
卓球ができます。

^{ウンジョヌル ハルチュル アラヨ}
운전을 할 줄 알아요.
運転できます。(運転方法を知っています。)

> **ワンポイント** パターン17の『〜(으)ㄹ 수 있어요』との違い
> 『운전을 할 수 있어요』だと、「運転できる(状態である)」という意味にもなります。

応 用

●否定パターン●

文末の『줄 알아요』を『줄 몰라요』に変えるだけ！

| 나는 잡채를 | + | 動詞ㅇ活用形
(만드) | + | ㄹ | + | 줄 몰라요 | . |

ナヌン　ジャップチェルル　マンドゥルチュル　モルラヨ
나는 잡채를 만들 줄 몰라요.
(私はチャプチェを作れません＝作り方を知りません)

●疑問パターン●

基本パターンに『?』をつけ、語尾を上げて発音するだけ！

| 당신은 잡채를 | + | 動詞ㅇ活用形
(만드) | + | ㄹ | + | 줄 알아요 | ? |

タンシヌン　ジャップチェルル　マンドゥルチュル　アラヨ
당신은 잡채를 만들 줄 알아요?
(あなたはチャプチェが作れますか？)

答え方　네, 만들 줄 알아요.　　（はい、作れます）
　　　　아니요, 만들 줄 몰라요.（いいえ、作れません）

~することができます ②／~을 줄 알아요

😊 応用パターンで言ってみよう!

<ruby>チャジョンゴヌン タルチュル モルラヨ</ruby>
자전거는 탈 줄 몰라요.
自転車は乗れません。

<ruby>カゲブルル スルチュル モルラヨ</ruby>
가계부를 쓸 줄 몰라요.
家計簿のつけ方がわからない。

<ruby>ハンチャヌン イルグルチュル モルラヨ</ruby>
한자는 읽을 줄 몰라요.
漢字は読めません。

<ruby>イゴ スルチュル アラヨ</ruby>
이거 쓸 줄 알아요?
これ、使い方わかりますか？

<ruby>チャンギルル ドゥルチュル アラヨ</ruby>
장기를 둘 줄 알아요?
将棋を打てますか？（打ち方を知っていますか？）

> **ワンポイント** 『장기를 두다』は「将棋を打つ」。「囲碁を打つ」は『바둑을 두다』。

<ruby>サジヌル コンピュトエ ヂョンソンハルチュル アラヨ</ruby>
사진을 컴퓨터에 전송할 줄 알아요?
写真をパソコンに取り込む方法がわかりますか？

> **ワンポイント** 『전송하다』は「転送する」という意味ですが、データをパソコンに取り込む際も使います。

Ⅰ これだけは!! 絶対覚えたい重要パターン21

19 ～したことがあります

～은 적이 있어요

基本フレーズ

저는 이 책을 <u>읽은 적이 있어요</u>.
チョヌン イ チェグル イルグンジョギ イッソヨ

私はこの本を読んだことがあります。

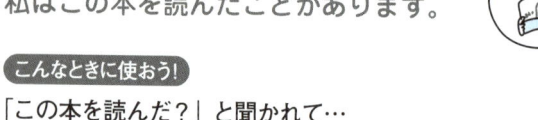

こんなときに使おう!

「この本を読んだ？」と聞かれて…

『動詞語幹＋(으)ㄴ 적이 있어요』は「～したことがある」という過去の経験を表す表現です。

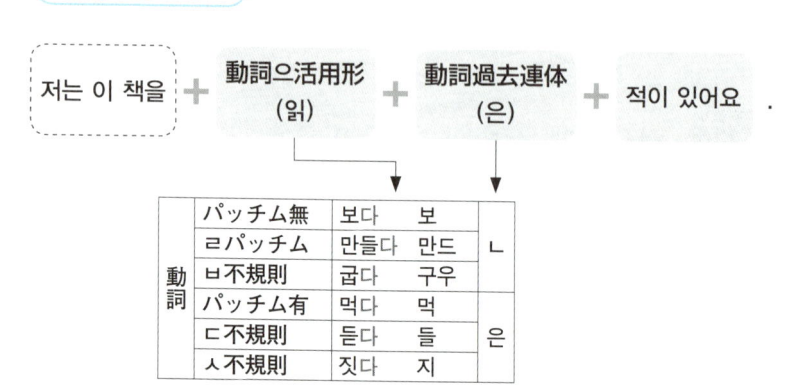

基本パターン

저는 이 책을 ＋ 動詞으活用形(읽) ＋ 動詞過去連体(은) ＋ 적이 있어요.

動詞	パッチム無	보다	보	ㄴ
	ㄹパッチム	만들다	만드	
	ㅂ不規則	굽다	구우	
	パッチム有	먹다	먹	은
	ㄷ不規則	듣다	들	
	ㅅ不規則	짓다	지	

😊 基本パターンで言ってみよう!

<ruby>배를<rt></rt></ruby> <ruby>탄<rt>タン</rt></ruby> <ruby>적이<rt>ジョギ</rt></ruby> <ruby>있어요<rt>イッソヨ</rt></ruby>.
배를 탄 적이 있어요.
船に乗ったことがある。

몇 년 전에 한 번 만난 적이 있어요.
ミョンニョンジョネ ハンボン マンナンジョギ イッソヨ
数年前に一度会ったことがあります。

저도 볼거리를 앓은 적이 있어요.
チョド ボルゴリルル アルンジョギ イッソヨ
私も、おたふく風邪にかかったことがある。

경주를 여행 한 적이 있어요.
キョンジュルル ヨヘンハンジョギ イッソヨ
慶州を旅行したことがあります。

영어 회화를 배운 적이 있어요.
ヨンオフェファルル ベウンジョギ イッソヨ
英会話を習ったことがあります。

제가 옷을 만든 적이 있어요.
チェガ オスル マンドゥンジョギ イッソヨ
自分で服を作ったことがあります。

길을 잃은 적이 있어요.
キルル イルンジョギ イッソヨ
道に迷ったことがある。

応 用

●否定パターン●

文末の『적이 있어요』を『적이 없어요』に変えるだけ！

| 저는 이 책을 | + | 動詞ㄹ活用形 (읽) | + | 動詞過去連体 (은) | + | 적이 없어요 | .

チョヌン イ チェグル イルグンジョギ オプソヨ
저는 이 책을 읽은 적이 없어요.
（私はこの本を読んだことがありません）

●疑問パターン●

基本パターンに『？』をつけ、語尾を上げて発音するだけ！

| 당신은 이 책을 | + | 動詞ㄹ活用形 (읽) | + | 動詞過去連体 (은) | + | 적이 있어요 | ？

タンシヌン イ チェグル イルグンジョギ イッソヨ
당신은 이 책을 읽은 적이 있어요?
（あなたはこの本を読んだことがありますか？）

答え方　네, 읽은 적은 있어요.
　　　　（はい、読んだことはあります）
　　　　아니요, 한번도 읽은 적이 없어요.
　　　　（いいえ、一度も読んだことがありません）

〜したことがあります／〜은 적이 없어요

応用パターンで言ってみよう!

가계부를 쓴 적이 없어요.
家計簿をつけたことがない。

한 번도 가 본 적이 없어요.
一度も行ったことがありません。

지각한 적이 없어요.
遅刻したことがない。

담배를 피운 적도 술을 마신 적도 없어요.
タバコを吸ったことも、お酒を飲んだこともありません。

ワンポイント 『〜(으)ㄴ적도 없어요』〜したこともない

오페라 아리아를 직접 들은 적이 있어요?
オペラの「アリア」を直接聴いたことがありますか？

우리 만난 적 있어요?
(私たち)会ったことありました？

20 ～しなければなりません

～어야 돼요

基本 フレーズ

チョンチョニ　モゴヤ　デヨ
천천히 먹어야 돼요.
ゆっくり食べなければなりません。

こんなときに使おう！
歯の治療をしたあとで…

『動詞+아/어야 돼요(해요)』は「～しなければならない」「～すべきだ」という表現です。あることをするために、または、ある状況になるために必須・義務・必要な状態や条件を表します。

「否定の否定」で強い肯定を表す『～하지 않으면 안 돼요』（～しなければならない）と同じ意味ですが、ポジティブ志向の強い韓国の人は、肯定的な表現である『～아/어야 돼요』（～すべきだ）のほうをよく使います。

※注：『～돼요』は『되어요』の縮まった形です。

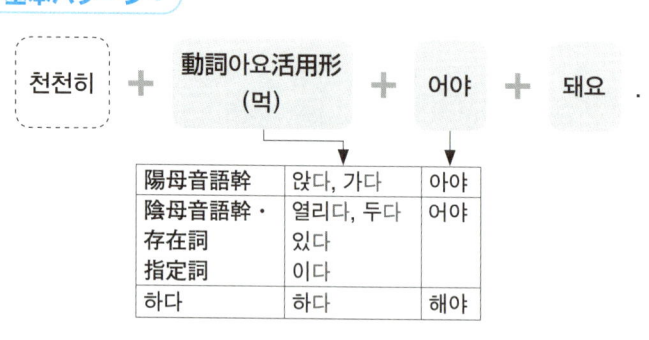

●基本パターン●

천천히 + 動詞아요活用形(먹) + 어야 + 돼요 .

陽母音語幹	앉다, 가다	아야
陰母音語幹・存在詞指定詞	열리다, 두다 있다 이다	어야
하다	하다	해야

基本パターンで言ってみよう!

<ruby>일곱<rt>イルゴップ</rt></ruby> <ruby>시까지<rt>シカジ</rt></ruby> <ruby>가야<rt>ガヤ</rt></ruby> <ruby>돼요<rt>デヨ</rt></ruby>.
7時までに行かなければなりません。

<ruby>규칙을<rt>キュチグル</rt></ruby> <ruby>잘<rt>チャル</rt></ruby> <ruby>지켜야<rt>ジキョヤ</rt></ruby> <ruby>돼요<rt>デヨ</rt></ruby>.
規則をきちんと守らなければならない。

<ruby>꼭<rt>コック</rt></ruby> <ruby>알아 두어야<rt>アラドゥオヤ</rt></ruby> <ruby>돼요<rt>デヨ</rt></ruby>.
必ず知っておかなければなりません。

<ruby>열심히<rt>ヨルシミ</rt></ruby> <ruby>공부해야<rt>コンブヘヤ</rt></ruby> <ruby>돼요<rt>デヨ</rt></ruby>.
一生懸命勉強しなければなりません。

<ruby>다음에<rt>タウメ</rt></ruby> <ruby>내려야<rt>ネリョヤ</rt></ruby> <ruby>돼요<rt>デヨ</rt></ruby>.
次で降りなければなりません。

<ruby>전기를<rt>チョンギルル</rt></ruby> <ruby>아껴 써야<rt>アキョソヤ</rt></ruby> <ruby>돼요<rt>デヨ</rt></ruby>.
電気を大事に使わないといけない。

<ruby>이럴 때<rt>イロルテ</rt></ruby> <ruby>일수록<rt>イルスロック</rt></ruby> <ruby>서로<rt>ソロ</rt></ruby> <ruby>도와야<rt>ドワヤ</rt></ruby> <ruby>해요<rt>ヘヨ</rt></ruby>.
こんなときだからこそ、お互い助け合うべきです。

ワンポイント 『~아/어야 해요』は『아/어야 돼요』と同じですが、『~아/어야 해요』のほうがあらたまった感じです。

応 用

● **否定パターン** ●

文末の『아야 돼요/어야 돼요』を『지 말아야 돼요』に変えるだけ！

천천히 + 動詞語幹(먹) + 지 말 + 아야 + 돼요．

『말다』は「～するのをやめる、中止する」という意味なので、『～지 말아야 돼요』は「～するのをやめるべき」。類似表現は『～면 안돼요』（～してはいけない）。

チョンチョニ モクチ マラヤ デヨ
천천히 먹지 말아야 돼요．（ゆっくり食べてはいけません）

● **疑問パターン** ●

基本パターンに『？』をつけ、語尾を上げて発音するだけ！

천천히 + 動詞아요活用形(먹) + 어야 + 돼요 ？

チョンチョニ モゴヤ デヨ
천천히 먹어야 돼요？（ゆっくり食べなければいけませんか？）

答え方　네, 천천히 먹어야 돼요．
（はい、ゆっくり食べなければいけません）
아니요, 천천히 안 먹어도 돼요．
（いいえ、ゆっくり食べなくてもいいですよ）

（パターン 21　p. 102 参照）

～しなければなりません／～어야 돼요

応用パターンで言ってみよう!

^{ウッチ} ^{マラヤ} ^{デヨ}
웃지 말아야 돼요.
笑ってはいけません。

^{マンジジ} ^{マラヤ} ^{デヨ}
만지지 말아야 돼요.
触ってはいけません。

^{イッチマラヤ} ^{ハンムニダ}
잊지 말아야 합니다.
忘れてはいけません。

^{コンガンウル} ^{ウィヘ} ^{ノムマニ} ^{モックチ} ^{マラヤ} ^{デヨ}
건강을 위해 너무 많이 먹지 말아야 돼요.
健康のために食べすぎてはいけません。

ワンポイント 『～을 위해』～のために

^{イゴル} ^ダ ^{ウェウォヤ} ^{デヨ}
이걸 다 외워야 돼요?
これを全部覚えなければなりませんか？

^{コック} ^{ガヤ} ^{デヨ}
꼭 가야 돼요?
絶対行かなきゃいけない？

21 〜してもいいです

〜어도 돼요

基本フレーズ

사진을 찍어도 돼요.
(サジヌル チゴド デヨ)
写真を撮ってもいいですよ。

こんなときに使おう!
観光地の撮影スポットで…

『動詞・存在詞+아/어도 돼요』は「〜してもいいです」という許可の表現です。

※『〜돼요』は『되어요』の縮まった形。

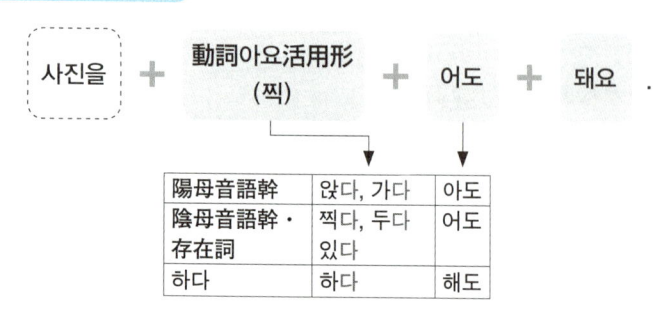

●基本パターン●

사진을 + 動詞아요活用形(찍) + 어도 + 돼요 .

陽母音語幹	앉다, 가다	아도
陰母音語幹・存在詞	찍다, 두다 있다	어도
하다	하다	해도

基本パターンで言ってみよう!

여기 앉아도 돼요.
ここに座ってもいいですよ。

이거 가져가도 돼요.
これ、持って行っていいよ。

밤에 전화해도 돼요.
夜に電話してもいいよ。

여기 있어도 돼요.
ここにいてもいいですよ。

이 물은 마셔도 돼요.
この水は飲んでもいいです。

내일은 쉬어도 돼요.
明日は休んでもいいです。

좀 모자라도 돼요.
ちょっと足りなくてもいいです。

ワンポイント 『모자라다』は「足りない、不足している」という意味の形容詞です。

応 用

●否定パターン●

1) 動詞の前に『안』を入れるだけ！

사진을 + 안 + 動詞아요活用形(찍) + 어도 + 돼요 .

サジヌル アン チゴド デヨ
사진을 안 찍어도 돼요. （写真を撮らなくてもいいですよ）

2) 文末の『아도 돼요/어도 돼요』を『지 않아도 돼요』に変えるだけ！

사진을 + 動詞語幹(찍) + 지 않 + 아도 + 돼요 .

サジヌル チクチ アナド デヨ
사진을 찍지 않아도 돼요.
（写真を撮らなくてもいいですよ）

●疑問パターン●

基本パターンに『?』をつけ、語尾を上げて発音するだけ！

사진을 + 動詞아요活用形(찍) + 어도 + 돼요 ?

サジヌル チゴド デヨ
사진을 찍어도 돼요? （写真を撮ってもいいですか？）

答え方　네, 찍어도 돼요. （はい、撮ってもいいです）
　　　　아니요, 안 돼요. （いいえ、だめです）

~してもいいです／~어도 돼요

応用パターンで言ってみよう!

아무것도 준비 안 해도 돼요.
何も準備しなくてもいいです。

아이는 요금을 안 내도 돼요.
子供は料金を支払わなくてもいいです。

신경쓰지 않아도 돼요.
気にしなくてもいいよ。

이 옷 한 번 입어봐도 돼요?
この服、ちょっと着てみていいですか?

좀 맛 없어도 돼요?
ちょっとまずくてもいい?

좀 작아도 돼요?
ちょっと小さくてもいい?

다음 주여도 돼요?
来週でもいい?

지금 전화해도 돼요?
今、電話してもいい?

Part II

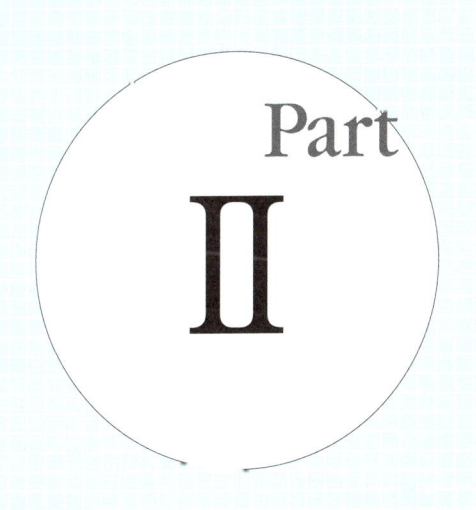

使える!頻出パターン 51

22 〜しに行きます
〜으러 가요

基本フレーズ

チョヌン チョンムシムル モグロ ガヨ
저는 점심을 먹으러 가요.
私は昼ご飯を食べに行きます。

こんなときに使おう！
「どこに行くの？」と聞かれて…

『 動詞 +(으)러 가요』は「〜しに行く」という表現です。
目的を表す『〜(으)러』+ 移動動詞 で、「〜するために」行く・来る・通うことを表します。

基本パターン

目的語(점심을) + 動詞의活用形(먹) + 으러 + 移動動詞(가요)

動詞	パッチム無	보다	보
	ㄹパッチム	놀다	놀
	ㅂ不規則	돕다	도우
	パッチム有	먹다	먹
	ㄷ不規則	듣다	들
	ㅅ不規則	짓다	지

러 (パッチム無・ㄹ・ㅂ不規則)
으러 (パッチム有・ㄷ・ㅅ不規則)

+

가다 (行く)
오다 (来る)
다니다 (通う)
나가다 (出て行く)
나오다 (出て来る)
들어가다 (入って行く)
들어오다 (入って来る)

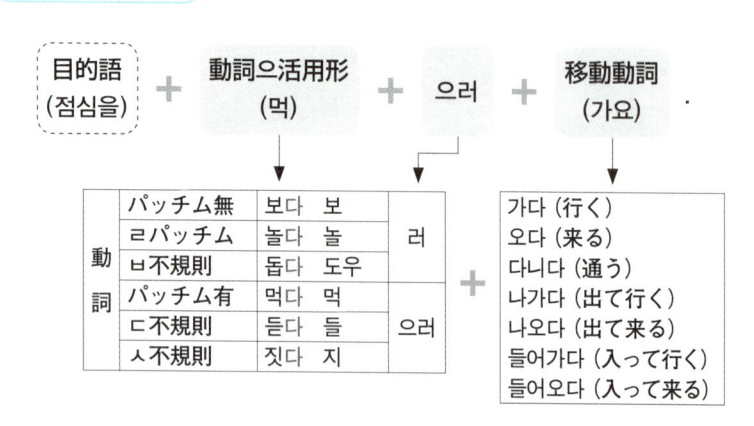

~しに行きます／～으러 가요

😊 基本パターンで言ってみよう！

음악을 들으러 가요.
ウマグル ドゥルロ ガヨ
音楽を聴きに行きます。

미용실에 머리를 자르러 가요.
ミヨンシレ モリルル チャルロ ガヨ
美容室に髪を切りに行きます。

도서관에 책을 빌리러 가요.
トソガネ チェグル ビルリロ ガヨ
図書館に本を借りに行きます。

이번 주말에 영화를 보러 가요.
イボン チュマレ ヨンファルル ボロ ガヨ
今度の週末に映画を観に行きます。

공원에 산책하러 가요.
コンウォネ サンチェッカロ ガヨ
公園に散歩しに行きます。

친구를 만나러 가요.
チングルル マンナロ ガヨ
友達に会いに行きます。

❗ これも知っておこう！

『가다』以外の移動動詞の例。「通っている」のような「(反復習慣)〜ている」の場合は、平叙文『아/어요形』を使います。

한국말을 배우러 다녀요.
ハングンマルル ベウロ ダニョヨ
韓国語を習いに通っています。

23 〜しているようです

〜는 것 같아요

基本 フレーズ

비가 오는 것 같아요.
ビガ オヌン ゴッ ガタヨ

雨が降っているようです。

こんなときに使おう!
室内で雨音を聞いて…

『動詞・存在詞＋는 것 같아요』は「〜しているようです（〜しているみたいです）」という表現です。根拠に基づいた推測を表したり、断定を避けて柔らかく自分の意見を述べるときに使います。

似ている推測表現に『-나 봐요/-는가 봐요』（〜みたいです）、『-는 모양이에요』（〜ようです、〜らしいです）がありますが、『-나 봐요/-는가 봐요』は主観的な根拠に基づいた推測、『-는 모양이에요』は客観性のある根拠に基づいた推測の表現です。

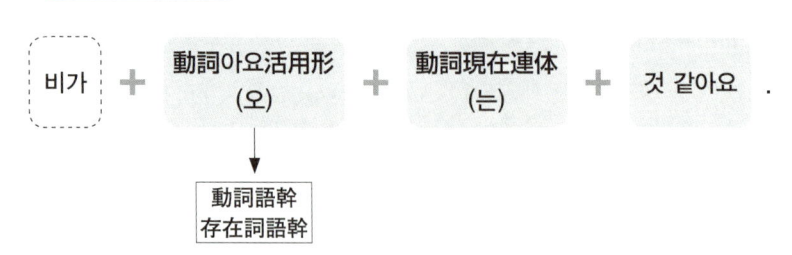

基本パターン

| 비가 | ＋ | 動詞아요活用形 (오) → 動詞語幹 存在詞語幹 | ＋ | 動詞現在連体 (는) | ＋ | 것 같아요 |

〜しているようです／〜는 것 같아요

😊 基本パターンで言ってみよう!

<ruby>잘<rt>チャル</rt></ruby> <ruby>아는<rt>アヌン</rt></ruby> <ruby>것<rt>ゴッ</rt></ruby> <ruby>같아요<rt>ガタヨ</rt></ruby>.
よく知っているようです。

<ruby>두 분이<rt>トゥブニ</rt></ruby> <ruby>아주<rt>アジュ</rt></ruby> <ruby>잘<rt>チャル</rt></ruby> <ruby>어울리는<rt>オウルリヌン</rt></ruby> <ruby>것<rt>ゴッ</rt></ruby> <ruby>같아요<rt>ガタヨ</rt></ruby>.
お二人はとてもよく似合うと思う。

<ruby>사토코씨하고<rt>サトコシハゴ</rt></ruby> <ruby>아주<rt>アジュ</rt></ruby> <ruby>친하게<rt>チナゲ</rt></ruby> <ruby>지내는<rt>ヂネヌン</rt></ruby> <ruby>것<rt>ゴッ</rt></ruby> <ruby>같아요<rt>ガタヨ</rt></ruby>.
サトコさんととても親しくしているみたい。

ワンポイント 『친하게 지내다』親しくしている

<ruby>걱정을<rt>コクチョンウル</rt></ruby> <ruby>많이<rt>マニ</rt></ruby> <ruby>하는<rt>ハヌン</rt></ruby> <ruby>것<rt>ゴッ</rt></ruby> <ruby>같아요<rt>ガタヨ</rt></ruby>.
とても心配しているようです。

❗ これも知っておこう!

存在詞のときは以下のようになります。

<ruby>저쪽에<rt>チョチョゲ</rt></ruby> <ruby>있는<rt>インヌン</rt></ruby> <ruby>것<rt>ゴッ</rt></ruby> <ruby>같아요<rt>ガタヨ</rt></ruby>.
あちらにあると思います。

<ruby>도와줄<rt>トワジュル</rt></ruby> <ruby>사람이<rt>サラミ</rt></ruby> <ruby>아무도<rt>アムド</rt></ruby> <ruby>없는<rt>オンムヌン</rt></ruby> <ruby>것<rt>ゴッ</rt></ruby> <ruby>같아요<rt>ガタヨ</rt></ruby>.
手伝ってくれる人が誰もいないようです。

24 〜が好きです

〜을 좋아해요

基本フレーズ

저는 K-POP을 좋아해요.
(チョヌン ケイポプル チョアヘヨ)
私は K-POP が好きです。

こんなときに使おう！
「どんな音楽が好き？」と聞かれて…

『〜을 좋아하다』は「〜が好きです」という表現ですが、『좋아하다』は正しくは「好む・喜ぶ」という動詞なので、主格助詞『이/가』(が)は来ません。

形容詞『좋다』(好きだ、いい)を使う場合は『〜이/가 좋아요』ですが、日本語の「〜が好き／嫌い」は『좋아하다／싫어하다』のほうがぴったりです。

基本パターン

K-POP ＋ 助詞(을) ＋ 좋아해요．

| パッチム無 | ＋ | 를 |
| パッチム有 | | 을 |

〜が好きです／〜을 좋아해요

😊 基本パターンで言ってみよう!

<ruby>생선회<rt>センソンフェルル</rt></ruby>를 <ruby>아주<rt>アジュ</rt></ruby> <ruby>좋아해요<rt>チョアヘヨ</rt></ruby>.
刺し身が大好物です。

<ruby>노래<rt>ノレ</rt></ruby> <ruby>부르는<rt>ブルヌン</rt></ruby> <ruby>것<rt>ゴス</rt></ruby>을 <ruby>좋아해요<rt>チョアヘヨ</rt></ruby>.
歌を歌うのが好きです。

<ruby>한국<rt>ハングック</rt></ruby> <ruby>술<rt>スル</rt></ruby>도 <ruby>아주<rt>アジュ</rt></ruby> <ruby>좋아해요<rt>チョアヘヨ</rt></ruby>.
韓国の酒も大変好きです。

⚠️ これも知っておこう!

二つの否定表現があります。

①『좋아해요』に『안』をつけます。

<ruby>뛰는<rt>ティヌン</rt></ruby> <ruby>것<rt>ゴス</rt></ruby>을 <ruby>안<rt>アン</rt></ruby> <ruby>좋아해요<rt>チョアヘヨ</rt></ruby>.
走るのは好きじゃないです。

②対義語『싫어하다』(嫌う) を使います。

<ruby>뛰는<rt>ティヌン</rt></ruby> <ruby>것<rt>ゴス</rt></ruby>을 <ruby>싫어해요<rt>シロヘヨ</rt></ruby>.
走るのは嫌いです。

II 使える! 頻出パターン51

25 ～してください ①

～으세요

基本フレーズ

받으세요.
(パドゥセヨ)
もらってください。

こんなときに使おう！
相手にプレゼントなどを渡すときに…

『動詞・存在詞 + (으)세요』は「～しなさい」「～してください」というソフトな命令形です。よりフォーマルかつ丁寧な表現は『～십시오』です。

※注：似た表現『～아(어) 주세요』(パターン30)は「私のために～してください」の意。つまりお願いする話者に何らかの利益があるときに使います。

お話しください	말씀하세요	電話交換手などが話を促す。
	말씀해 주세요	相手の話を引き出すためにお願い（懇願）する。

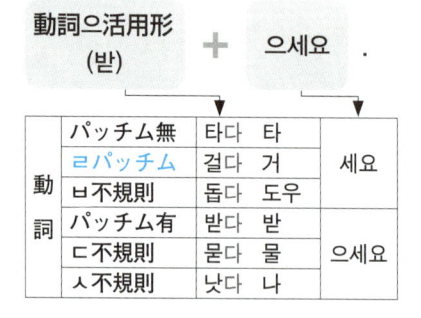

基本パターン

動詞ㅇ活用形 (받) + 으세요.

動詞	パッチム無	타다 타	세요
	ㄹパッチム	걸다 거	
	ㅂ不規則	돕다 도우	
	パッチム有	받다 받	으세요
	ㄷ不規則	묻다 물	
	ㅅ不規則	낫다 나	

～してください ①／～으세요

🙂 基本パターンで言ってみよう!

_{チャンカンマン} _{ギダリセヨ}
잠깐만 기다리세요.
ちょっと待って。

_{チョナ} _{ジュセヨ}
전화 주세요.
電話ください。

_{ヨギエ} _{アンズセヨ}
여기에 앉으세요.
こちらにお座りください。

_{コンガンウル} _{ウィヘソ} _{ウンドウル} _{ハセヨ}
건강을 위해서 운동을 하세요.
健康のために運動してください。

_{コンノピョネソ} _{イシップ} _{サン} _{ボン} _{ボスルル} _{タセヨ}
건너편에서 이십 삼 번 버스를 타세요.
向かい側で23番バスに乗ってください。

⚠ これも知っておこう!

『～세요』の格式体『～십시오』の例。

_{マンヌン} _{ダブル} _{スシップシオ}
맞는 답을 쓰십시오.
正しい答えを書いてください。

26 ～しないでください

～지 마세요

基本 フレーズ

여기에서 사진을 찍지 마세요.
ヨギエソ　サジヌル　チックチ　マセヨ

ここで写真を撮らないでください。

こんなときに使おう!
撮影禁止区域で写真を撮っている人に…

『動詞＋지 마세요』は「～しないでください」という禁止命令表現です。『마세요』は「～するのをやめる、中止する」という意味の『말다』＋命令形『(으)세요』。

また、ニュアンスは少し違いますが禁止命令表現で『그만＋動詞(으)세요』があります。「もう（そのへんで）動詞しないでください」という意味です。

『사진을 그만 찍으세요』は「写真を（いっぱい撮ったから）もう撮らないで」。

基本パターン

여기에서 사진을 ＋ 動詞語幹 (찍) ＋ 지 마세요 .

~しないでください／~지 마세요

基本パターンで言ってみよう！

받지 마세요.
受け取らないで。

보지 마세요.
見ないで。

쓰레기를 버리지 마세요.
ごみを捨てないで。

오해하지 마세요.
誤解しないで。

쉬지 마세요.
休まないでください。

잃어버리지 마세요.
なくさないでください。

これも知っておこう！

格式体『~지 마십시오』の例。

관내에서는 담배를 피우지 마십시오.
館内ではタバコを吸わないでください。

27 ～してみて

～어 봐요

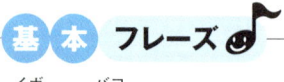

基本フレーズ

입어 봐요.
(イボ バヨ)
着てみて。

こんなときに使おう!
友人と服を買いに来て…

『動詞 語幹＋아/어 봐요』は「～してみて」という意味です。

基本の形『動詞 語幹＋아/어 보다』（～してみる）の穏やかな命令形です。動詞について、ある行為を試したり経験することをすすめる表現です。『動詞 語幹＋아/어 보세요』にすると少し丁寧な感じです。

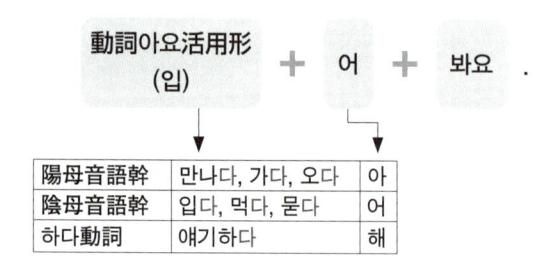

● 基本パターン ●

動詞아요活用形
(입)   ＋   어   ＋   봐요 .

陽母音語幹	만나다, 가다, 오다	아
陰母音語幹	입다, 먹다, 묻다	어
하다動詞	얘기하다	해

〜してみて／〜어 봐요

基本パターンで言ってみよう!

꼭 가 봐요.
_{コック ガ バヨ}
絶対行ってみて。

먹어 봐요.
_{モゴ バヨ}
食べてみて。

한번 만나 봐요.
_{ハンボン マンナ バヨ}
一度会ってみて。

잠깐 이리 와 봐요.
_{チャンカン イリ ワ バヨ}
ちょっと来てみて。

누구한테 물어 봐요.
_{ヌグハンテ ムロ バヨ}
誰かに聞いてみて。

좀 알아 봐요.
_{チョム アラ バヨ}
ちょっと調べてみて。

これも知っておこう!

『〜아/어 봐요』より丁寧な形『〜아/어 보세요』の例。

얘기해 보세요.
_{イェギヘ ボセヨ}
話してみて（ください）。

28 〜すぎです

너무 〜 아요

基本フレーズ

너무 작아요.
<small>ノム チャガヨ</small>

小さすぎです。

こんなときに使おう!
店で試着して「サイズはどうですか?」と聞かれて…

『너무+ 動詞 ・ 形容詞 語幹+아/어요』は「〜すぎる」という表現です。『너무』は「あまりにも」という意味なので、直訳すると「あまりにも〜 動詞 します」「あまりにも〜 形容詞 です」。

※ 動詞 によっては、このパターンに当てはまらないものもあります。例えば「考えすぎ」は『너무 민감하게 생각하다』(敏感に考えすぎる)など。

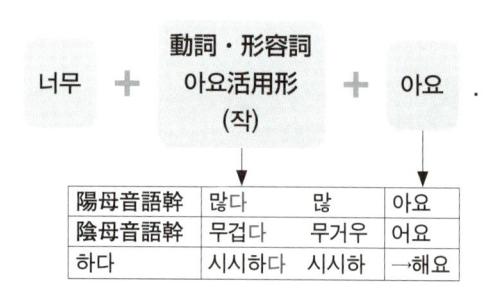

基本パターン

너무 + 動詞・形容詞 아요活用形 (작) + 아요 .

陽母音語幹	많다	많	아요
陰母音語幹	무겁다	무거우	어요
하다	시시하다	시시하	→해요

~すぎです／너무 ~아요

😊 基本パターンで言ってみよう！

<ruby>너무<rt>ノム</rt></ruby> <ruby>많아요<rt>マナヨ</rt></ruby>.
多すぎです。

<ruby>커피를<rt>コピルル</rt></ruby> <ruby>너무<rt>ノム</rt></ruby> <ruby>많이<rt>マニ</rt></ruby> <ruby>마셔요<rt>マショヨ</rt></ruby>.
コーヒーを飲みすぎです。

<ruby>너무<rt>ノム</rt></ruby> <ruby>몰라요<rt>モルラヨ</rt></ruby>.
知らなすぎです。

<ruby>책이<rt>チェギ</rt></ruby> <ruby>너무<rt>ノム</rt></ruby> <ruby>시시해요<rt>シシヘヨ</rt></ruby>.
本がつまらなすぎです。

<ruby>방이<rt>バンイ</rt></ruby> <ruby>너무<rt>ノム</rt></ruby> <ruby>좁아요<rt>チョバヨ</rt></ruby>.
部屋が狭すぎる。

<ruby>가방이<rt>カバンイ</rt></ruby> <ruby>너무<rt>ノム</rt></ruby> <ruby>무거워요<rt>ムゴウォヨ</rt></ruby>.
鞄が重すぎる。

⚠ これも知っておこう！

過去表現は語尾の『~아/어요』を『~았/었어요』に変えます。

<ruby>영화가<rt>ヨンファガ</rt></ruby> <ruby>너무<rt>ノム</rt></ruby> <ruby>무서웠어요<rt>ムソウォッヨ</rt></ruby>.
映画が怖すぎました。

29 〜に見えます

〜아 보여요

基本フレーズ

둘이 사이가 좋아 보여요.
お二人は仲良く見えます。

こんなときに使おう!
会話がはずむ友人たちを見て…

『 形容詞 ・ 存在詞 +아/어 보여요』は、「〜く見える、〜そうに見える」という表現です。

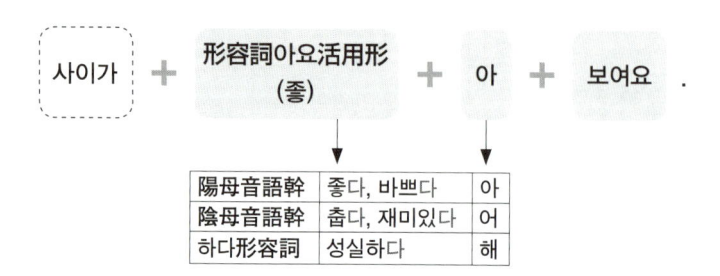

基本パターン

사이가 + 形容詞아요活用形 (좋) + 아 + 보여요 .

陽母音語幹	좋다, 바쁘다	아
陰母音語幹	춥다, 재미있다	어
하다形容詞	성실하다	해

~に見えます／~아 보여요

基本パターンで言ってみよう!

맛있어 보여요.
おいしそうに見える。

아버님이 자상해 보여요.
お父様が優しそうですね。

영화 예고편을 봤는데 아주 재미있어 보여요.
映画の予告編を見たんですが、とてもおもしろそうです。

그 친구 분은 아주 성실해 보여요.
ご友人の方がとても誠実そうに見えます。

좀 추워 보여요.
ちょっと寒そうに見える。

왠지 힘들어 보여요.
なんだか大変そうに見える。

방이 넓어 보여요.
部屋が広く見えます。

30 ～してください ②

～어 주세요

基本フレーズ

チャンムン ヂョム ヨロ ヂュセヨ
창문 좀 열어 주세요.
ちょっと窓を開けてください。

こんなときに使おう!
部屋の換気をしたいときに…

『動詞・存在詞＋아/어 주세요』は「(私のために)～してください」という表現です。

『～아/어 주세요』の前に『좀』を入れるとソフトな感じになります。相手に対するソフトな命令も日本語では「～してください」ですが、韓国語では、『～(으)세요』(～しなさい)を使います。(パターン25参照)

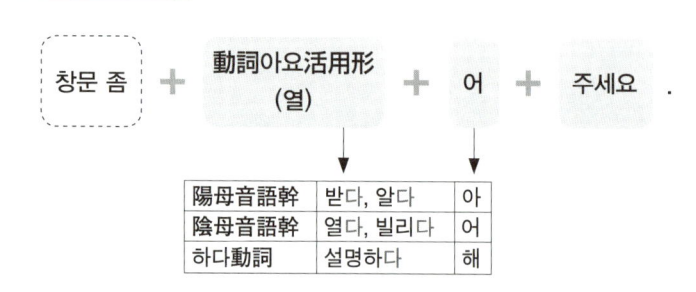

基本パターン

창문 좀 ＋ 動詞아요活用形(열) ＋ 어 ＋ 주세요 .

陽母音語幹	받다, 알다	아
陰母音語幹	열다, 빌리다	어
하다動詞	설명하다	해

〜してください ②／〜어 주세요

基本パターンで言ってみよう!

<ruby>믿어</ruby><ruby>주세요</ruby>.
ミド　ジュセヨ
信じてください。

<ruby>많이</ruby> <ruby>가르쳐 주세요</ruby>.
マニ　ガルチョ　ジュセヨ
たくさん教えてくださいね。

<ruby>사전 좀</ruby> <ruby>빌려 주세요</ruby>.
サジョン チョム　ビルリョ　ジュセヨ
辞書を貸してください。

<ruby>자세히</ruby> <ruby>설명해 주세요</ruby>.
チャセイ　ソルミョンヘ　ジュセヨ
詳しく説明してください。

これも知っておこう!

『〜주시겠어요?』で「〜していただけますか?」と丁寧にお願いする表現です。

죄송합니다. 사진 좀 찍어 주시겠어요?
チェソンハンムニダ　サジン　チョム　チゴ　ジュシゲッソヨ
すみません。写真を撮っていただけますか?

31 〜してしまいました

〜어 버렸어요

基本フレーズ

カンパック　イジョ　ボリョッソヨ
깜빡 잊어 버렸어요.
うっかり忘れてしまいました。

こんなときに使おう！
言われたことを忘れてしまったときに…

『動詞 語幹＋아/어 버렸어요』は、基本の形『動詞 語幹＋아/어 버리다』（〜してしまう）の過去形です。動詞について、ある行為を完全に、または既に終わらせた結果、何も残っていないことを表す表現です。

似た表現『動詞 語幹＋고 말았어요』は、意図していないことが起きたことへの残念な気持ち、「とうとう〜してしまった」ことを表します。

모두가 두려워하던 일이 일어나고 말았어요.
（みんなが恐れていたことが起きてしまいました）

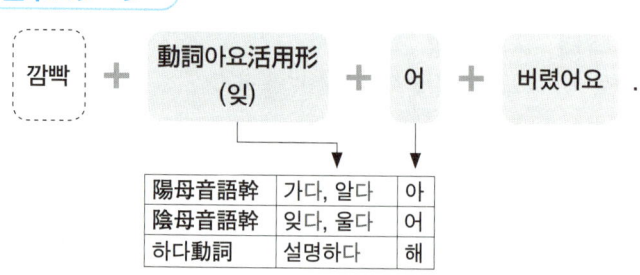

基本パターン

깜빡 ＋ 動詞아요活用形 (잊) ＋ 어 ＋ 버렸어요 .

陽母音語幹	가다, 알다	아
陰母音語幹	잊다, 울다	어
하다動詞	설명하다	해

〜してしまいました／〜어 버렸어요

😊 基本パターンで言ってみよう！

<ruby>잠들어<rt>チャムドゥロ</rt></ruby> <ruby>버렸어요<rt>ボリョッソヨ</rt></ruby>.
寝てしまいました。

<ruby>다<rt>タ</rt></ruby> <ruby>줘<rt>ジョ</rt></ruby> <ruby>버렸어요<rt>ボリョッソヨ</rt></ruby>.
全部あげちゃいました。

<ruby>그냥<rt>クニャン</rt></ruby> <ruby>나와<rt>ナワ</rt></ruby> <ruby>버렸어요<rt>ボリョッソヨ</rt></ruby>.
（何もせず）出て来てしまった。

<ruby>잃어<rt>イロ</rt></ruby> <ruby>버렸어요<rt>ボリョッソヨ</rt></ruby>.
なくしてしまった。

<ruby>눈물을<rt>ヌンムルル</rt></ruby> <ruby>못<rt>モッ</rt></ruby> <ruby>참고<rt>チャムコ</rt></ruby> <ruby>울어<rt>ウロ</rt></ruby> <ruby>버렸어요<rt>ボリョッソヨ</rt></ruby>.
涙をこらえきれず、泣いてしまいました。

<ruby>다<rt>タ</rt></ruby> <ruby>알아<rt>アラ</rt></ruby> <ruby>버렸어요<rt>ボリョッソヨ</rt></ruby>.
全部知ってしまいました。

⚠️ これも知っておこう！

『버렸어요』を現在形『버려요』に変えると、「〜してしまいます」。

<ruby>웃으면<rt>ウスミョン</rt></ruby> <ruby>힘이<rt>ヒミ</rt></ruby> <ruby>빠져<rt>パジョ</rt></ruby> <ruby>버려요<rt>ボリョ</rt></ruby>.
笑うと力が抜けてしまいます。

32 ～しなきゃと思ってます

～어야겠어요

基本 フレーズ

컴퓨터를 배워야겠어요.
（コンピュトルル ベウォヤゲッソヨ）
パソコンを習わなきゃと思ってます。

こんなときに使おう!
パソコンの使い方がよくわからなくて…

『1人称主語 + 動詞 +아/어야 겠어요』は「～しなければならない」という義務・必要を表す『아/어야 하다(되다)』に、話者の意志や近い未来を表す『겠다』がくっついたもので、「～しなければと思っています」「～する必要がある」「(必要に迫られて)～しなければと思う」「～したほうがいい」という話者の強い意志を表すときに使う表現です。2人称・3人称主語の場合は「～する必要があります」。

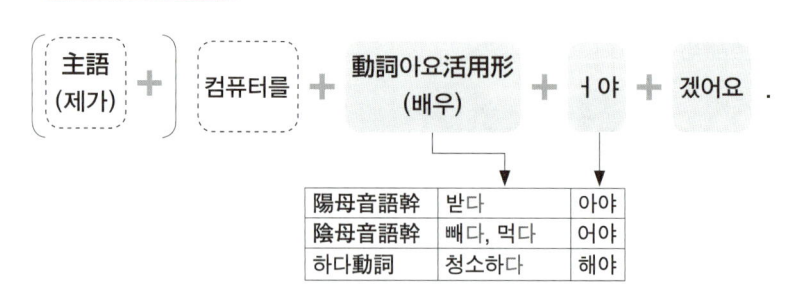

● 基本パターン ●

主語(제가) + 컴퓨터를 + 動詞아요活用形(배우) + ㅓ야 + 겠어요 .

陽母音語幹	받다	아야
陰母音語幹	빼다, 먹다	어야
하다動詞	청소하다	해야

～しなきゃと思ってます／～어야겠어요

基本パターンで言ってみよう!

담배를 _{タンムベルル} 끊어야겠어요_{クノヤゲッソヨ}.
タバコをやめなきゃと思います。

아무래도 _{アムレド} 약을 _{ヤグル} 먹어야겠어요_{モゴヤゲッソヨ}.
やはり薬を飲まないと。

기필코 _{キピルコ} 살을 _{サルル} 빼야겠어요_{ペヤゲッソヨ}.
何としてもやせなきゃと思ってます。

ワンポイント 『살을 빼다』ぜい肉を落とす、やせる

방 안 청소 좀 해야겠어요.
部屋を掃除しなきゃ。(部屋の掃除をする必要がありそうです。)

これも知っておこう!

主語が2人称の場合は「(あなたは)〜の必要がありますよ」の意。

효민씨! 운동을 좀 해야겠어요.
ヒョミンさん、ちょっと運動が必要ですよ。

33 ～することができません
못～어요

基本フレーズ

매운 음식은 못 먹어요.
(メウン ウンムシグン モン モゴヨ)
辛い食べ物は食べられません。

こんなときに使おう!
「辛い食べ物は大丈夫?」と聞かれて…

『못 + 動詞 + 아/어요』は「～することができない(～られない・～れない)」という不可能表現です。

パターン17の『～을 수 있어요』の否定『～을 수 없어요』と同じ表現ですが、語尾が肯定表現のこちらがよく使われます。

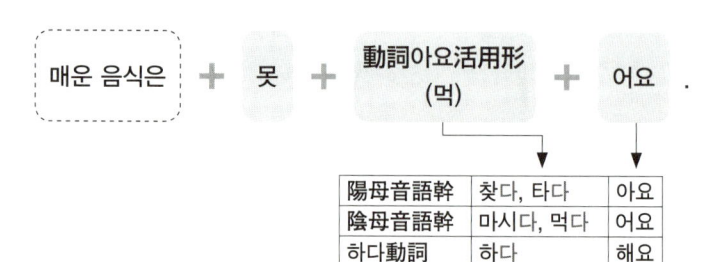

基本パターン

매운 음식은 ＋ 못 ＋ 動詞아요活用形 (먹) ＋ 어요 .

陽母音語幹	찾다, 타다	아요
陰母音語幹	마시다, 먹다	어요
하다動詞	하다	해요

～することができません／못～어요

基本パターンで言ってみよう!

술을 못 해요. 한 방울도 못 마셔요.
<small>スルル モッ テヨ ハン バンウルド モン マショヨ</small>
下戸です。一滴も飲めません。

이 시간에는 돈을 못 찾아요.
<small>イ シガネヌン ドヌル モッ チャジャヨ</small>
この時間にはお金を下ろすことができません。

스케이트는 못 타요.
<small>スケイトゥヌン モッ タヨ</small>
スケートは滑れません。

중국어는 전혀 못 해요.
<small>チュングゴヌン チョニョ モッ テヨ</small>
中国語はまったくできません。

내일은 전화를 못 받아요.
<small>ネイルン チョナルル モッ パダヨ</small>
明日は電話を受けることができません。

これも知っておこう!

過去の不可能表現『못 ～았/었어요』(～することができませんでした)の例。

예전에는 쌀도 못 씻었어요.
<small>イェジョネヌン サルド モッ シソッソヨ</small>
昔はお米もとげませんでした。

ワンポイント 『씻다』洗う、(お米を)とぐ

34 〜するのが得意です

잘〜어요

基本 フレーズ

ウリ タルン ウムシグル チャル マンドゥロヨ
우리 딸은 음식을 잘 만들어요.
私の娘は料理を作るのが得意です。

こんなときに使おう！
「お子さんは何が得意？」と聞かれて…

『잘＋ 動詞 아/어요活用形』は「—を上手に〜する」＝「〜するのが得意（上手）」＝「〈上手に〉できる」という表現です。『〜』には 動詞 が入ります。『잘하다』はひとつの単語と認められているため分かち書きしません。

過去形は語尾の『〜아/어요』を『〜았/었어요』に変えます。疑問形は最後に『？』をつけて、語尾を上げて発音します。

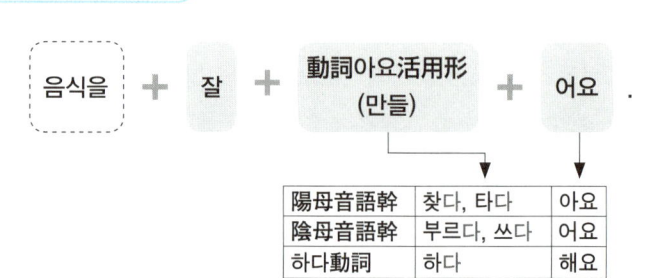

基本パターン

음식을 ＋ 잘 ＋ 動詞아요活用形 (만들) ＋ 어요 ．

陽母音語幹	찾다, 타다	아요
陰母音語幹	부르다, 쓰다	어요
하다動詞	하다	해요

～するのが得意です／잘～어요

😊 基本パターンで言ってみよう!

_{ノレルル　チャル　ブルロヨ}
노래를 잘 불러요.
歌がとても上手です。

_{チュムルル　チャル　チュオヨ}
춤을 잘 춰요.
踊りが得意です。

_{チェ　チングヌン　マルル　アジュ　ヂャレヨ}
제 친구는 말을 아주 잘해요.
私の友人は話すのが得意です。(口達者です。)

_{スルル　ヂャレヨ}
술을 잘해요.
お酒が飲めるほうです（得意です）。

_{スズキ シヌン　ピアノルル　チャル　チョヨ}
스즈키 씨는 피아노를 잘 쳐요.
鈴木さんはピアノが得意です。

_{クルル　チャル　ソヨ}
글을 잘 써요.
文章を書くのが得意だ。

⚠ これも知っておこう!

過去表現『～았(었)어요』の例。

_{ハックセン　テヌン　スハグル　ヂャレッソヨ}
학생 때는 수학을 잘했어요.
学生時代は数学が得意でした。

35 〜するのは苦手です

잘 못〜어요

基本フレーズ

<ruby>저<rt>チョヌン</rt></ruby>는 <ruby>그림<rt>グリムン</rt></ruby>은 <ruby>잘<rt>チャル</rt></ruby> <ruby>못<rt>モッ</rt></ruby> <ruby>그려요<rt>クリョヨ</rt></ruby>.

私は絵を描くのは苦手です。

こんなときに使おう！
「絵は得意？」と聞かれて…

　『잘 못＋ 動詞 아/어요活用形』は「〜するのが不得意（下手、苦手）です」という表現です。

　過去形は語尾の『〜아/어요』を『〜았/었어요』に変えます。疑問形は最後に『？』をつけて、語尾を上げて発音します。

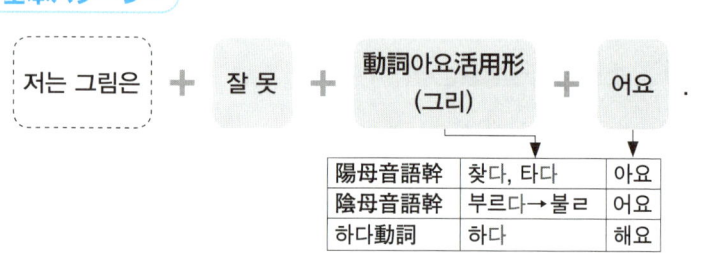

※注：基本の形『잘 못 하다』は同じ文字が並ぶ『잘못하다』があるので、分かち書きに気をつけます。『잘 못 하다』（うまくできない、不得意）は 副詞 ＋ 副詞 ＋ 動詞 、一方『잘못하다』（間違う、誤る）は一つの動詞です。

基本パターン

저는 그림은 ＋ 잘 못 ＋ 動詞아요活用形 (그리) ＋ 어요 ．

陽母音語幹	찾다, 타다	아요
陰母音語幹	부르다→불ㄹ	어요
하다動詞	하다	해요

~するのは苦手です／잘 못 ~어요

基本パターンで言ってみよう!

계산을 <ruby>잘<rt>チャル</rt></ruby> <ruby>못<rt>モッ</rt></ruby> <ruby>해요<rt>テヨ</rt></ruby>.
計算が苦手です。

글씨를 잘 못 써요.
文字を書くのが苦手です。

자전거를 잘 못 타요.
自転車に乗るのが下手です。

노래를 잘 못 불러요.
歌が下手です。

전화를 잘 못 받아요.
電話応対が苦手です。

말을 잘 못 알아 들어요.
（人の）言葉を理解して聞くのが下手です。

ワンポイント 『알아 듣다』聞いて理解する

36 〜したらいいな
〜으면 좋겠어요

基本フレーズ

빨리 봄이 왔으면 좋겠어요.
(パルリ ボミ ワッスミョン チョケッソヨ)
早く春が来たらいいな。

こんなときに使おう!
毎日、寒い日が続いているときに…

『 動詞 ・ 形容詞 ・ 指定詞 ・ 存在詞 〜았/었으면 좋겠어요』は、「〜したらいいな」「〜してほしい」という願望・希望の表現です。

過去形『〜았/었으면』の代わりに、現在形『〜(으)면』+『좋겠어요』（〜するといいな）も似たような意味で使いますが、過去形『았/었으면』のほうがより強い願望・希望を表します。

例：빨리 봄이 오면 좋겠어요. (早く春が来るといいな)

基本パターン

빨리 봄이 + 用言過去形 (왔) + 으면 좋겠어요 .

陽母音語幹	오다	았	→왔
陰母音語幹	크다	었	→컸
存在詞	이다	었	→이었 / 였
하다用言	무사하다	했	→무사했

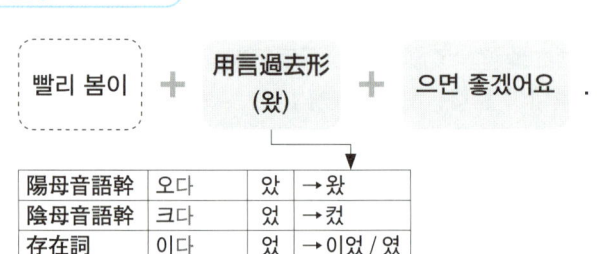

〜したらいいな／〜으면 좋겠어요

😊 基本パターンで言ってみよう！

キガ　チョグンマン　ド　コッスミョン　チョケッソヨ
키가 조금만 더 컸으면 좋겠어요.
もう少しだけ背が高かったらいいな。

> **ワンポイント**　『크다』は「大きい」という形容詞ですが、「大きくなる、伸びる」という動詞でもあるので、「もう少しだけ背が伸びればいいな」という意でもあります。

カチ　ガッスミョン　チョケッソヨ
같이 갔으면 좋겠어요.
一緒に行ってほしいな。

イボネヌン　コッ　ブトッスミョン　チョケッソヨ
이번에는 꼭 붙었으면 좋겠어요.
今度は絶対受かってほしい。

ハングンマルル　アジュ　チャレッスミョン　チョケッソヨ
한국말을 아주 잘했으면 좋겠어요.
韓国語が上手になったらいいな。

シガングァ　ドニ　マニ　イッソッスミョン　チョケッソヨ
시간과 돈이 많이 있었으면 좋겠어요.
時間と金がいっぱいあったらいいな。

ヨギガ　ムインドヨッスミョン　チョケッソヨ
여기가 무인도였으면 좋겠어요.
ここが無人島だったらいいな。

チェバル　ムサヘッスミョン　チョケッソヨ
제발 무사했으면 좋겠어요.
願わくば無事でいてほしい。

> **ワンポイント**　『제발』願わくば

135

37 ～することにしました
～기로 했어요

基本フレーズ

우리는 다음 주에 가기로 했어요.
ウリヌン ダウム チュエ ガギロ ヘッソヨ

私たちは来週行くことにしました。

こんなときに使おう！
「旅行はいつ行くの？」と聞かれて…

『動詞・存在詞 +기로 했어요』は「～することにした」という意志決定の表現です。

過去終結語尾の『했어요─した』を『되어 있어요─なっている』に変えると、確定された予定の表現になります。

例： 다음 주에 가기로 되어 있어요.
　　（来週行くことになっています）

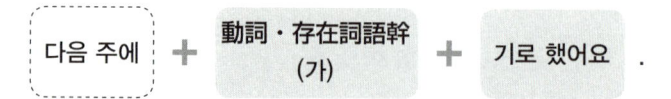

基本パターン

| 다음 주에 | + | 動詞・存在詞語幹 (가) | + | 기로 했어요 | . |

~することにしました／~기로 했어요

基本パターンで言ってみよう!

<ruby>일단<rt>イルタン</rt></ruby> <ruby>믿기로<rt>ミッキロ</rt></ruby> <ruby>했어요<rt>ヘッソヨ</rt></ruby>.
とりあえず、信じることにしました。

<ruby>하루에<rt>ハルエ</rt></ruby> <ruby>한<rt>ハン</rt></ruby> <ruby>시간<rt>シガン</rt></ruby> <ruby>씩<rt>シック</rt></ruby> <ruby>공부하기로<rt>ゴンブハギロ</rt></ruby> <ruby>했어요<rt>ヘッソヨ</rt></ruby>.
一日１時間（ずつ）、勉強することにしました。

<ruby>헤어질<rt>ヘオジル</rt></ruby> <ruby>때<rt>テ</rt></ruby> <ruby>울지<rt>ウルジ</rt></ruby> <ruby>않기로<rt>アンキロ</rt></ruby> <ruby>했어요<rt>ヘッソヨ</rt></ruby>.
別れるとき、泣かないことにしました。

<ruby>마음<rt>マウム</rt></ruby> <ruby>편히<rt>ピョニ</rt></ruby> <ruby>살기로<rt>サルギロ</rt></ruby> <ruby>했어요<rt>ヘッソヨ</rt></ruby>.
気楽に生きることにしました。

<ruby>올해는<rt>オレヌン</rt></ruby> <ruby>무슨<rt>ムスン</rt></ruby> <ruby>일이든<rt>イリドゥン</rt></ruby> <ruby>열심히<rt>ヨルシミ</rt></ruby> <ruby>하기로<rt>ハギロ</rt></ruby> <ruby>했어요<rt>ヘッソヨ</rt></ruby>.
今年は何でも一生懸命がんばることにしました。

これも知っておこう!

現在形は『~기로 해요』で「~することにしましょう」。

<ruby>다음<rt>タウム</rt></ruby> <ruby>주에<rt>チュエ</rt></ruby> <ruby>여기에서<rt>ヨギエソ</rt></ruby> <ruby>만나기로<rt>マンナギロ</rt></ruby> <ruby>해요<rt>ヘヨ</rt></ruby>.
来週ここで会うことにしましょう。

II 使える！頻出パターン51

38 ～したくないです

～기 싫어요

基本 フレーズ

정말 헤어지기 싫어요.
チョンマル ヘオジギ シロヨ

本当に別れたくないです。

こんなときに使おう!
お別れをするときに…

『動詞・存在詞 ＋기 싫어요』の『싫다』は「いやだ、嫌いだ」という意味なので、「～するのはいやだ」→「～したくない」という表現になります。

パターン６の『～고 싶어요』（～したい）の否定形『～고 싶지 않아요』（～したくない）よりさらに強い感情を表す表現です。

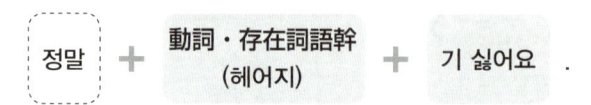

基本パターン

정말 ＋ 動詞・存在詞語幹（헤어지） ＋ 기 싫어요 ．

〜したくないです／〜기 싫어요

😊 基本パターンで言ってみよう!

_{チョンドゥロソ イサ ガギ シロヨ}
정들어서 이사 가기 싫어요.
情が移って、引っ越ししたくないです。

_{ハングンマルル チャラゴ シップチマン ムンポブン ゴンブハギ シロヨ}
한국말을 잘 하고 싶지만 문법은 공부하기 싫어요.
韓国語はうまくなりたいけど、文法は勉強したくない。

_{ナルシガ ジョアソ イラギ シロヨ}
날씨가 좋아서 일하기 싫어요.
天気がいいので仕事したくない。

_{ク ゴセ イッキ シロヨ}
그 곳에 있기 싫어요.
そこにいたくないです。

_{イルチック イロナヤ ハヌンデ チャギ シロヨ}
일찍 일어나야 하는데 자기 싫어요.
早起きしないといけないけど、寝たくないです。

⚠ これも知っておこう!

主語が2人称、3人称の場合は『〜기 싫어해요』。

_{クロン マルン ドゥッキ シロヘヨ}
그런 말은 듣기 싫어해요.
そういう話は聞きたがらないです。(聞くのを嫌がります。)

39 ～しやすいです

～기 쉬워요

基本 フレーズ

한국어는 배우기 쉬워요.
_{ハングゴヌン　ベウギ　シウォヨ}

韓国語は習いやすいです。

こんなときに使おう!
「韓国語は難しい?」と聞かれて…

『 動詞 ・ 存在詞 ＋기 쉬워요』の『쉽다』は「易しい、容易だ」という意味なので、「～することが易しい」→「～しやすい」という表現になります。

『쉬워요』を『편해요，좋아요』に置き換えることができます。

基本パターン

| 한국어는 | ＋ | 動詞・存在詞語幹 (배우) | ＋ | 기 쉬워요 | . |

↓
기 편해요 (するのに便利です)
기 좋아요 (するのに良いです)

〜しやすいです／〜기 쉬워요

基本パターンで言ってみよう!

지도만 있으면 찾아가기 쉬워요.
チドマン イッスミョン チャジャガギ シウォヨ
地図さえあれば簡単に行けます。〔目的地を探して行きやすい〕

배추김치는 담그기 힘들지만 깍두기는 담그기 쉬워요.
ペチュギムチヌン ダングギ ヒムドゥルジマン カックトゥギヌン ダングギ シウォヨ
白菜キムチは漬けるのが難しいけど、カクテキは易しいです。

눈 오는 날은 미끄러지기 쉬워요.
ヌノヌン ナルン ミックロジギ シウォヨ
雪の日は滑りやすい。

귀걸이는 잃어 버리기 쉬워요.
キゴリヌン イロ ボリギ シウォヨ
イアリングはなくしやすい。

그 학교는 비교적 들어가기 쉬워요.
ク ハッキョヌン ビギョジョック トゥロガギ シウォヨ
その学校は割と入りやすいです。

これも知っておこう!

『〜기 좋아요』(〜するのに良い) という表現。

이 식당 음식은 맵지 않아서 외국인도 먹기 좋아요.
イ シックタン ウムシグン メップチ アナソ ウェグギンド モッキ ヂョアヨ
このレストランの料理は辛くなくて、外国人も食べやすいです。

40 〜しにくいです ①

〜기 힘들어요

基本 フレーズ

방값이 비싸서 살기 힘들어요.
(バンカプシ ビッサソ サルギ ヒンムドゥロヨ)
家賃が高くて暮らしにくいです。

こんなときに使おう！
「生活はどう？」と聞かれて…

『動詞・存在詞+기 힘들어요』の『힘들다』は「大変だ、労力が要る」という意味なので、「〜しにくい、〜することが大変だ、〜しづらい」という表現になります。

『힘들어요』を『어려워요, 불편해요』に置き換えることができます。

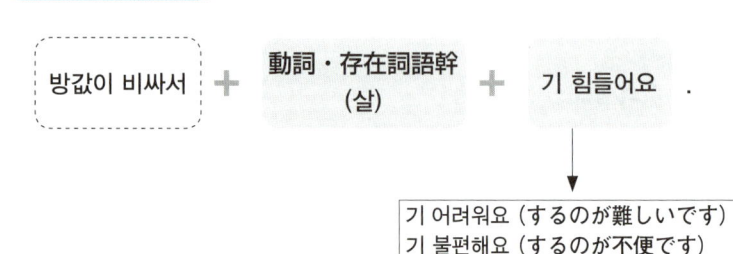

基本パターン

방값이 비싸서 ＋ 動詞・存在詞語幹（살）＋ 기 힘들어요 .

→ 기 어려워요 (するのが難しいです)
　 기 불편해요 (するのが不便です)

~しにくいです ①／~기 힘들어요

基本パターンで言ってみよう!

길이 좁아서 운전하기 힘들어요.
_{キリ ジョバソ ウンジョナギ ヒンムドゥロヨ}
道が狭くて運転しにくい。

'ㄹ' 받침은 발음하기 힘들어요.
_{リウルパッチムン パルマギ ヒンムドゥロヨ}
「ㄹ」パッチムは発音しにくいです。

나이가 들어서 새로운 단어를 외우기 힘들어요.
_{ナイガ ドゥロソ セロウン ダノルル ウェウギ ヒンムドゥロヨ}
年だから、新しい単語を覚えるのが大変です。

취업난이라서 취직하기 힘들어요.
_{チュイオンムナニラソ チュイジカギ ヒンムドゥロヨ}
就職難で、就職するのが大変です。

명문대는 들어가기 힘들어요.
_{ミョンムンデヌン ドゥロガギ ヒンムドゥロヨ}
名門大学は入りにくいです(入るのが大変です)。

これも知っておこう!

『~기 불편해요』(~するのが不便です) という表現。

이 지하철 역은 갈아다기 불편해요.
_{イ ジハチョル ヨグン ガラタギ ブルピョネヨ}
この地下鉄駅は乗り換えるのが不便です。

41 〜しにくいです ②

잘 안 〜어요

基本フレーズ

イ バンチャンゴヌン ヌネ ヂャル アン ティオヨ
이 반창고는 눈에 잘 안 띄어요.
この絆創膏は目立ちにくいです。

こんなときに使おう！
顔の絆創膏を気にする友人に…

『잘 안＋ 自動詞 ＋아/어요』は、「うまく〜できない」→「〜しにくい」という意味になります。

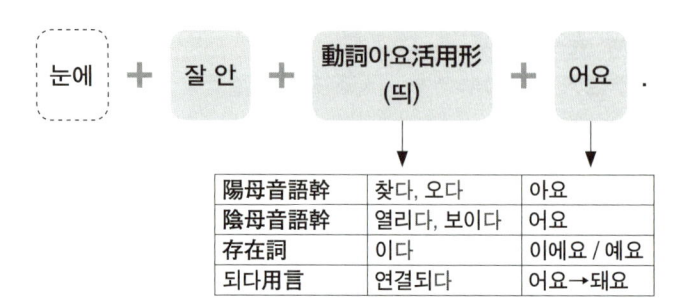

基本パターン

눈에 ＋ 잘 안 ＋ 動詞아요活用形 (띄) ＋ 어요 .

陽母音語幹	찾다, 오다	아요
陰母音語幹	열리다, 보이다	어요
存在詞	이다	이에요 / 예요
되다用言	연결되다	어요→돼요

~しにくいです ②／잘 안 ~어요

基本パターンで言ってみよう!

<ruby>유성펜은<rt>ユソンペヌン</rt></ruby> <ruby>잘<rt>チャル</rt></ruby> <ruby>안<rt>アン</rt></ruby> <ruby>지워져요<rt>ジウォジョヨ</rt></ruby>.
油性ペンは消えにくい。

<ruby>이렇게<rt>イロッケ</rt></ruby> <ruby>외우면<rt>ウェウミョン</rt></ruby> <ruby>잘<rt>チャル</rt></ruby> <ruby>안 잊혀져요<rt>アニチョジョヨ</rt></ruby>.
こう覚えると忘れにくいです。

<ruby>문이<rt>ムニ</rt></ruby> <ruby>잘<rt>チャル</rt></ruby> <ruby>안<rt>アン</rt></ruby> <ruby>열려요<rt>ニョルリョヨ</rt></ruby>.
ドアが開きにくい。

<ruby>잘<rt>チャル</rt></ruby> <ruby>안<rt>アン</rt></ruby> <ruby>잠겨져요<rt>ジャンギョジョヨ</rt></ruby>.
閉まりにくいです。

<ruby>얘기가<rt>イェギガ</rt></ruby> <ruby>전달이<rt>チョンダリ</rt></ruby> <ruby>잘<rt>チャル</rt></ruby> <ruby>안<rt>アン</rt></ruby> <ruby>돼요<rt>デヨ</rt></ruby>.
話が伝わりにくいです。

これも知っておこう!

別の否定パターン『~지 않아요』を使うこともできます。

<ruby>전화가<rt>チョナガ</rt></ruby> <ruby>잘<rt>チャル</rt></ruby> <ruby>연결되지<rt>ヨンギョルデジ</rt></ruby> <ruby>않아요<rt>アナヨ</rt></ruby>.
電話がつながりにくいです。

Ⅱ 使える! 頻出パターン51

42 ～しようと思います

～으려고 해요

基本フレーズ

チョヌン　ハングゴ　ゴムジョンシホム　イルグブル　タリョゴ　ヘヨ
저는 한국어 검정시험 1급을 **따려고 해요**.

私は韓国語検定1級を取ろうと思っています。

こんなときに使おう!
「今年の目標は？」と聞かれて…

『 動詞 の語幹＋(으)려고 해요』は「～しようと思う、～するつもりだ」という意図を表す表現です。

『해요』の代わりに過去形『했어요』を入れると「～しようと思った」、『해요』以外の 動詞 を入れて『 動詞 の語幹＋(으)려고＋ 動詞 』だと「～しようと～します、～するために～します」となります。

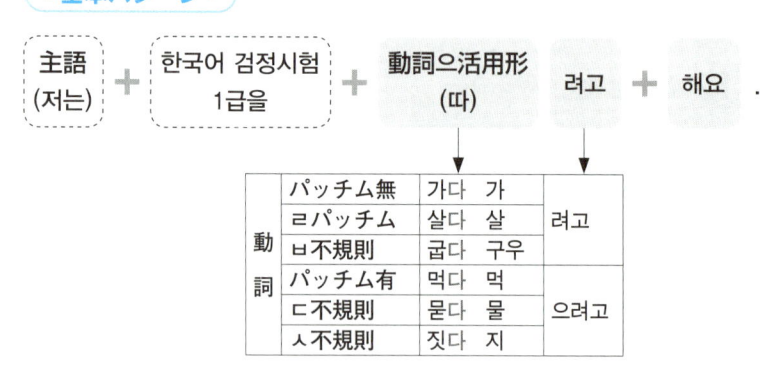

基本パターン

主語 (저는) ＋ 한국어 검정시험 1급을 ＋ 動詞으活用形 (따) ＋ 려고 ＋ 해요．

動詞	パッチム無	가다　가	려고
	ㄹパッチム	살다　살	
	ㅂ不規則	굽다　구우	
	パッチム有	먹다　먹	으려고
	ㄷ不規則	묻다　물	
	ㅅ不規則	짓다　지	

~しようと思います／~으려고 해요

😊 基本パターンで言ってみよう!

<ruby>내일은<rt>ネイルン</rt></ruby> <ruby>친구를<rt>チングルル</rt></ruby> <ruby>만나러<rt>マンナロ</rt></ruby> <ruby>신사동에<rt>シンサドンエ</rt></ruby> <ruby>가려고<rt>ガリョゴ</rt></ruby> <ruby>해요<rt>ヘヨ</rt></ruby>.
明日は友達に会いにシンサドンに行こうと思います。

<ruby>깔끔하게<rt>カルクマゲ</rt></ruby> <ruby>머리를<rt>モリルル</rt></ruby> <ruby>자르려고<rt>チャルリョゴ</rt></ruby> <ruby>해요<rt>ヘヨ</rt></ruby>.
さっぱりと髪をカットしようと思います。

<ruby>봄<rt>ボム</rt></ruby> <ruby>옷을<rt>オスル</rt></ruby> <ruby>사러<rt>サロ</rt></ruby> <ruby>가려고<rt>ガリョゴ</rt></ruby> <ruby>하는데요<rt>ハヌンデヨ</rt></ruby>. <ruby>지금<rt>チグム</rt></ruby> <ruby>세일<rt>セイル</rt></ruby> <ruby>해요<rt>ヘヨ</rt></ruby>?
春の服を買いに行こうと思うんですが、今バーゲンやってますか?

<ruby>저도<rt>チョド</rt></ruby> <ruby>앞으로는<rt>アプロヌン</rt></ruby> <ruby>좀<rt>チョム</rt></ruby> <ruby>가꾸려고<rt>ガクリョゴ</rt></ruby> <ruby>해요<rt>ヘヨ</rt></ruby>.
私もこれからはおしゃれに気を遣おうと思います。

<ruby>올해는<rt>オレヌン</rt></ruby> <ruby>영어를<rt>ヨンオルル</rt></ruby> <ruby>좀<rt>チョム</rt></ruby> <ruby>배워<rt>ベウォ</rt></ruby> <ruby>보려고<rt>ボリョゴ</rt></ruby> <ruby>해요<rt>ヘヨ</rt></ruby>.
今年は英語をちょっと習ってみようと思います。

⚠ これも知っておこう!

『〜(으)려고〜았/었어요』は「〜するために〜しました」。

<ruby>빵을<rt>パンウル</rt></ruby> <ruby>구우려고<rt>グウリョゴ</rt></ruby> <ruby>밀가루를<rt>ミルカルル</rt></ruby> <ruby>사<rt>サ</rt></ruby> <ruby>왔어요<rt>ワッソヨ</rt></ruby>.
パンを焼こうと思って小麦粉を買ってきました。

43 〜したほうがよさそうです
〜는 게 좋겠어요

基本フレーズ

우산을 가져가는 게 좋겠어요.
ウサヌル ガジョガヌン ゲ ヂョケッソヨ

傘を持って行ったほうがよさそうよ。

こんなときに使おう!
天気予報を聞いて、出かける人に…

『 動詞 ・ 存在詞 +는 게 좋겠어요』は「〜したほうがよさそうです」という表現です。『〜게』は『것이』(するのが) が縮まった形です。

基本パターン

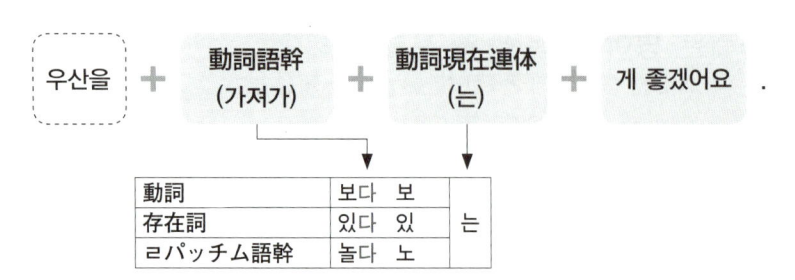

우산을 + 動詞語幹 (가져가) + 動詞現在連体 (는) + 게 좋겠어요 .

動詞	보다 보	
存在詞	있다 있	는
ㄹパッチム語幹	놀다 노	

～したほうがよさそうです／～는 게 좋겠어요

😊 基本パターンで言ってみよう！

<ruby>ウンドンウル チョム ハヌン ゲ チョケッソヨ</ruby>
운동을 좀 하는 게 좋겠어요.
ちょっと運動したほうがよさそう。

<ruby>チョッケ モンヌン ゲ チョケッソヨ</ruby>
적게 먹는 게 좋겠어요.
少なめに食べたほうがよさそう。

<ruby>ビョンウォネ ガヌン ゲ チョケッソヨ</ruby>
병원에 가는 게 좋겠어요.
病院に行ったほうがよさそうです。

<ruby>イゴルロ ハヌン ゲ チョケッソヨ</ruby>
이걸로 하는 게 좋겠어요.
これにしたほうがよさそうです。

<ruby>チョンヘ ドゥヌン ゲ チョケッソヨ</ruby>
정해 두는 게 좋겠어요.
決めておいたほうがよさそうです。

<ruby>ウリヌン オンムヌン ゲ チョケッソヨ</ruby>
우리는 없는 게 좋겠어요.
私たちはいないほうがよさそう。

<ruby>カマニ インヌン ゲ チョケッソヨ</ruby>
가만히 있는 게 좋겠어요.
じっとしているほうがよさそう。

Ⅱ 使える！頻出パターン51

44 〜しているところです

〜는 중이에요

基本 フレーズ

クチョグロ　ガヌン　ヂュンイエヨ
그쪽으로 가는 중이에요.

そちらに向かっているところです。

こんなときに使おう!
「今どこ?」と聞かれて…

『 動詞 ・ 存在詞 語幹＋는 중이다』は「〜しているところです」という表現で動作の進行を表します。『〜하고 있어요』(〜しています)も動作の進行を表しますが、『〜는 중이다』のほうが動作の進行している状態・瞬間を表す傾向が強いです。

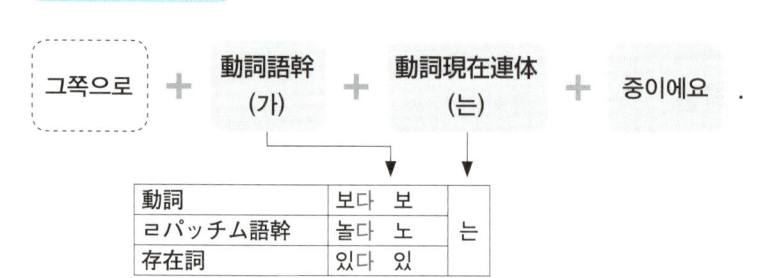

基本パターン

그쪽으로 ＋ 動詞語幹 (가) ＋ 動詞現在連体 (는) ＋ 중이에요 .

動詞	보다　보	
ㄹパッチム語幹	놀다　노	는
存在詞	있다　있	

〜しているところです／〜는 중이에요

😊 基本パターンで言ってみよう!

<ruby>일하는<rt>イラヌン</rt></ruby> <ruby>중이에요<rt>チュンイエヨ</rt></ruby>.
仕事中です。

<ruby>마무리하는<rt>マムリハヌン</rt></ruby> <ruby>중이에요<rt>チュンイエヨ</rt></ruby>.
仕上げをしているところです。

<ruby>친구를<rt>チングルル</rt></ruby> <ruby>기다리는<rt>ギダリヌン</rt></ruby> <ruby>중이에요<rt>チュンイエヨ</rt></ruby>.
友達を待っているところです。

<ruby>밥<rt>パム</rt></ruby> <ruby>먹는<rt>モンヌン</rt></ruby> <ruby>중이에요<rt>チュンイエヨ</rt></ruby>.
ご飯を食べているところです。

<ruby>레포트를<rt>レポトゥルル</rt></ruby> <ruby>쓰는<rt>スヌン</rt></ruby> <ruby>중이에요<rt>チュンイエヨ</rt></ruby>.
レポートを書いているところです。

<ruby>전화를<rt>チョナルル</rt></ruby> <ruby>거는<rt>ゴヌン</rt></ruby> <ruby>중이에요<rt>チュンイエヨ</rt></ruby>.
電話をかけているところです。

⚠ これも知っておこう!

過去形「〜しているところでした」は『〜중이었어요』。

<ruby>저녁을<rt>チョニョグル</rt></ruby> <ruby>만드는<rt>マンドゥヌン</rt></ruby> <ruby>중이었어요<rt>チュンイオッソヨ</rt></ruby>.
夕食を作っているところでした。

45 〜するほうです

〜는 편이에요

基本フレーズ

イルチック　ヂャヌン　ピョニエヨ
일찍 자는 편이에요.

どちらかというと早寝するほうです。

こんなときに使おう!
「夜更かしするほう？早寝するほう？」と聞かれて…

『 動詞・存在詞 語幹 +는 편이에요』『 形容詞 ・ 動詞過去形 語幹 +(으)ㄴ 편이에요』『 指定詞 +인 편이에요』は、「(どちらかというと)〜する (〜な) ほうです」という表現です。事実を断定的に言わず、どちらかに近い・属しているというふうに言うときに使います。

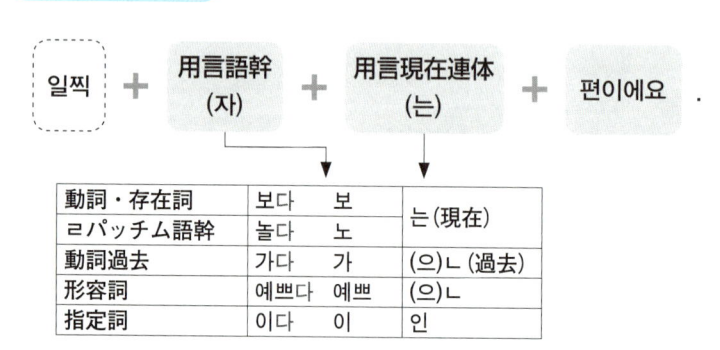

● 基本パターン ●

일찍 + 用言語幹 (자) + 用言現在連体 (는) + 편이에요 .

動詞・存在詞	보다	보	는(現在)
ㄹパッチム語幹	놀다	노	
動詞過去	가다	가	(으)ㄴ (過去)
形容詞	예쁘다	예쁘	(으)ㄴ
指定詞	이다	이	인

〜するほうです／〜는 편이에요

基本パターンで言ってみよう！

<ruby>チャル ガヌン ピョニエヨ</ruby>
잘 가는 편이에요.
よく行くほうです。

<ruby>カリジ アンコ モドゥンジ チャル モンヌン ピョニエヨ</ruby>
가리지 않고 뭐든지 잘 먹는 편이에요.
好き嫌いせず、何でもよく食べるほうです。

ワンポイント 『가리다』選り好みする

<ruby>チュマレヌン チュロ ジベ インヌン ピョニエヨ</ruby>
주말에는 주로 집에 있는 편이에요.
週末は主に家にいるほうです。

<ruby>チョンソルル チョアハヌン ピョニエヨ</ruby>
청소를 좋아하는 편이에요.
掃除が好きなほうです。

<ruby>ノリョグル マニ ハヌン ピョニエヨ</ruby>
노력을 많이 하는 편이에요.
結構努力するほうです。

<ruby>ソンキョグン チョヨンハン ピョニエヨ</ruby>
성격은 조용한 편이에요.
性格は物静かなほうです。

これも知っておこう！

過去形「〜ほうでした」は『〜편이었어요』。

<ruby>シンサジョギン ピョニオッソヨ</ruby>
신사적인 편이었어요.
紳士的なほうでした。

46 〜らしいです

〜는 모양이에요

基本 フレーズ

석유값이 오르는 모양이에요.
ソギュカプシ オルヌン モヤンイエヨ
石油が値上がりするらしいです。

こんなときに使おう!
「航空運賃が高くなったね」と聞いて…

『動詞・存在詞 語幹+는 모양이에요』『形容詞・指定詞・動詞過去形 語幹+(으)ㄴ 모양이에요』は「〜らしいです、〜みたいです、〜ようです」という推測の表現です。ある状況などを根拠に推測するときに使います。

パターン23の『〜는 것 같아요』より客観的で確信のある推測です。

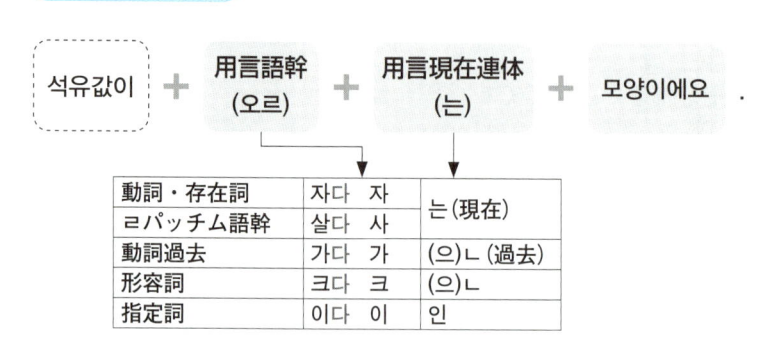

基本パターン

석유값이 + 用言語幹 (오르) + 用言現在連体 (는) + 모양이에요.

動詞・存在詞	자다 자	는(現在)
ㄹパッチム語幹	살다 사	
動詞過去	가다 가	(으)ㄴ(過去)
形容詞	크다 크	(으)ㄴ
指定詞	이다 이	인

~らしいです／~는 모양이에요

基本パターンで言ってみよう!

잘 가르치는 모양이에요.
よく教えるらしいです。

쿄토에 사는 모양이에요.
京都に住んでいるらしいです。

올 가을에 결혼을 하는 모양이에요.
今年の秋に結婚するらしい。

영화가 재미있는 모양이에요.
映画がおもしろいらしい。

생각보다 추운 모양이에요.
思ったより寒いようです。

피해가 큰 모양이에요.
被害が大きいようです。

그 선생님은 착실한 모양이에요.
その先生はまじめらしいです。

47 〜するふりをします

〜는 척을 해요

基本フレーズ

그 사람은 가끔 아는 척을 해요.
(ク サラムン カックム アヌン チョグル ヘヨ)

彼はたまに知っているふりをします。

こんなときに使おう!
「彼は本当に全部知っているの?」と言われて…

『動詞・存在詞 語幹＋는척을 하다』『形容詞 ＋(으)ㄴ척을 하다』『指定詞 ＋인 척을 하다』は、本当はそうでないのに「〜するふりをする（〜ぶる）」という表現です。『척하다』は補助動詞なので、語尾が活用します。

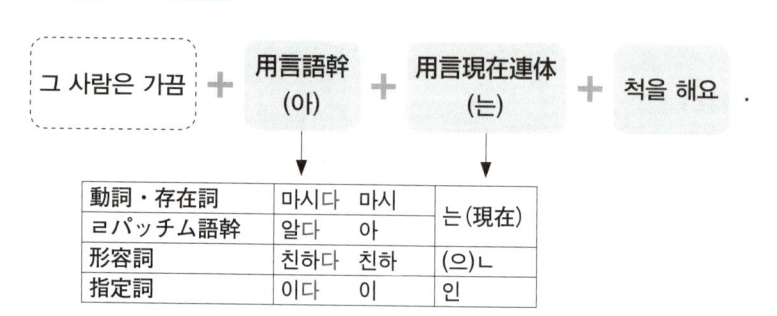

基本パターン

그 사람은 가끔 ＋ 用言語幹 (아) ＋ 用言現在連体 (는) ＋ 척을 해요 .

動詞・存在詞	마시다	마시	는(現在)
ㄹパッチム語幹	알다	아	
形容詞	친하다	친하	(으)ㄴ
指定詞	이다	이	인

~するふりをします／~는 척을 해요

基本パターンで言ってみよう!

버스를 타면 자는 척을 해요.
バスに乗ると寝たふりをします。

알아도 그냥 모르는 척을 해요.
知っていても知らないふりをします。

술을 잘하면서 못 마시는 척을 해요.
お酒が飲めるのに飲めないふりをします。

착한데 나쁜 사람인 척을 해요.
いい人なのに悪い人ぶっている。

이럴 때만 친한 척을 해요.
こんなときだけ親しいふりをします。

안 취했는데 취한 척을 해요.
酔っていないのに酔ったふりをします。

안 아파도 아픈 척을 해요.
痛くないのに痛いふりをします。

48 〜します ④

〜을 거예요

基本フレーズ

저 꼭 합격할 거예요.
（チョ コック ハップキョカル コエヨ）

私、きっと合格します。
（合格するつもりです）

こんなときに使おう！
「今度の試験は自信あるの？」と聞かれて…

『 1人称主語 + 動詞・存在詞 +(으)ㄹ 거예요』は「私が（近い未来に）〜します・〜するつもりです」という、話者の強い意志を表す表現です。

パターン5の『 1人称主語 +겠습니다』と同じ意味ですが、よりくだけた表現です。3人称・無生物主語の場合は、話者の推測を表します。（パターン13参照）

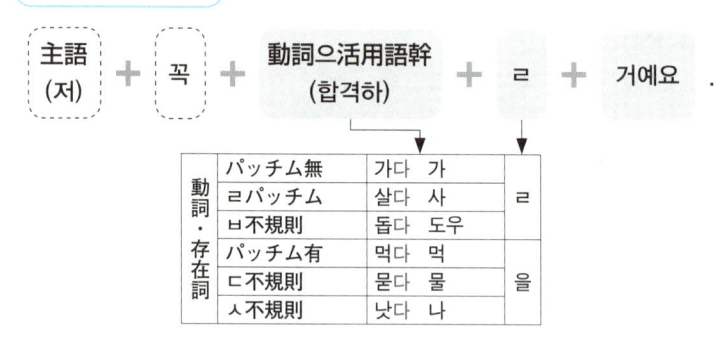

基本パターン

主語(저) + 꼭 + 動詞ㅇ活用語幹(합격하) + ㄹ + 거예요 .

動詞・存在詞	パッチム無	가다 가	ㄹ
	ㄹパッチム	살다 사	
	ㅂ不規則	돕다 도우	
	パッチム有	먹다 먹	을
	ㄷ不規則	묻다 물	
	ㅅ不規則	낫다 나	

~します ④／~을 거예요

基本パターンで言ってみよう!

<ruby>내일<rt>ネイル</rt></ruby> <ruby>꼭<rt>コック</rt></ruby> <ruby>갈<rt>ガル</rt></ruby> <ruby>거예요<rt>コエヨ</rt></ruby>.
明日、必ず行きます。

<ruby>전<rt>チョン</rt></ruby> <ruby>그<rt>グ</rt></ruby> <ruby>말을<rt>マルル</rt></ruby> <ruby>믿을<rt>ミドゥル</rt></ruby> <ruby>거예요<rt>コエヨ</rt></ruby>.
私はその言葉を信じるよ。

<ruby>조금만<rt>チョグンマン</rt></ruby> <ruby>먹을<rt>モグル</rt></ruby> <ruby>거예요<rt>コエヨ</rt></ruby>.
ちょっとだけ食べます。

<ruby>올해는<rt>オレヌン</rt></ruby> <ruby>반드시<rt>バンドゥシ</rt></ruby> <ruby>살을<rt>サルル</rt></ruby> <ruby>뺄<rt>ペル</rt></ruby> <ruby>거예요<rt>コエヨ</rt></ruby>.
今年は必ずダイエットします(ぜい肉を落とします)。

<ruby>하루에<rt>ハルエ</rt></ruby> <ruby>한<rt>ハン</rt></ruby> <ruby>시간은<rt>シガヌン</rt></ruby> <ruby>조깅을<rt>ジョギンウル</rt></ruby> <ruby>할<rt>ハル</rt></ruby> <ruby>거예요<rt>コエヨ</rt></ruby>.
一日に1時間はジョギングをするつもり。

<ruby>내일은<rt>ネイルン</rt></ruby> <ruby>아무<rt>アム</rt></ruby> <ruby>것도<rt>ゴット</rt></ruby> <ruby>안<rt>アナル</rt></ruby> <ruby>할<rt></rt></ruby> <ruby>거예요<rt>コエヨ</rt></ruby>.
明日は何もしないつもりです。

<ruby>정년퇴직하면<rt>チョンニョンテジカミョン</rt></ruby> <ruby>시골에서<rt>シゴレソ</rt></ruby> <ruby>살<rt>サル</rt></ruby> <ruby>거예요<rt>コエヨ</rt></ruby>.
定年退職したら、田舎で暮らします。

Ⅱ 使える!頻出パターン51

49 〜するつもりです

〜을 생각이에요

基本フレーズ

다음 주까지는 끝낼 생각이에요.
(タウムム チュカジヌン クンネル センガギエヨ)

来週までには終わらせるつもりです。

こんなときに使おう！
「その仕事はいつ終わるの？」と聞かれて…

『 1人称主語 + 動詞・存在詞 +(으)ㄹ 생각이에요』で、「〜するつもりだ」という、話者の強い意図・予定を表します。疑問文では2人称の意図や予定を尋ねる表現となります。主語は省略されることが多いです。

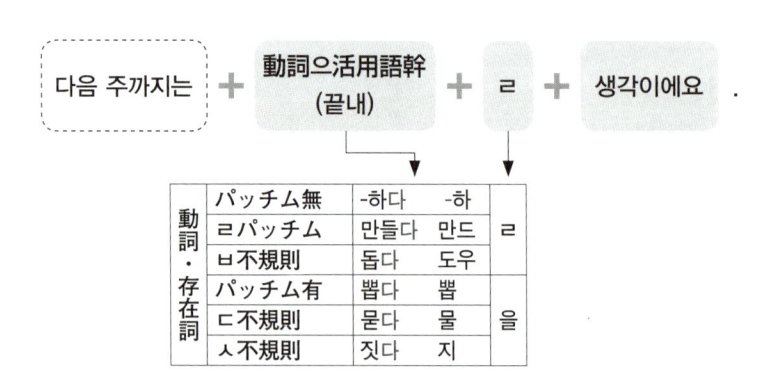

基本パターン

다음 주까지는 + 動詞ㄹ活用語幹 (끝내) + ㄹ + 생각이에요 .

動詞・存在詞	パッチム無	-하다	-하	ㄹ
	ㄹパッチム	만들다	만드	
	ㅂ不規則	돕다	도우	
	パッチム有	뽑다	뽑	을
	ㄷ不規則	묻다	물	
	ㅅ不規則	짓다	지	

〜するつもりです／〜을 생각이에요

基本パターンで言ってみよう!

멋진 크리스마스 파티를 준비할 생각이에요.
モッチン クリスマス パティルル ジュンビハル センガギエヨ
すてきなクリスマスパーティーを準備するつもりです。

올해부터는 꽃꽂이도 시작할 생각이에요.
オレブトヌン コッコジド シジャカル センガギエヨ
今年からは生け花も始めるつもりです。

어떻게 할 생각이에요?
オトッケ ハル センガギエヨ
どうするつもりですか?

생일 케이크는 제가 만들 생각이에요.
センイル ケイクヌン チェガ マンドゥル センガギエヨ
誕生日ケーキは私が作るつもり。

차가 낡아서 새로 뽑을 생각이에요.
チャガ ナルガソ セロ ポブル センガギエヨ
車が古いので買い替えるつもりです。

(ワンポイント) 『새로 뽑다』新車を購入する〔カジュアルな表現〕

これも知っておこう!

『〜이에요』を『〜이었어요』に変えると過去の表現「〜するつもりでした」になります。

전화할 생각이었어요.
チョナハル センガギオッソヨ
電話するつもりでした。

50 〜かもしれない

〜을 지도 몰라요

基本 フレーズ ♪

내일은 눈이 올지도 몰라요.
<small>ネイルン ヌニ オルチド モルラヨ</small>

明日は雪が降るかもしれませんよ。

こんなときに使おう!
「今日は冷えるね」と言われて…

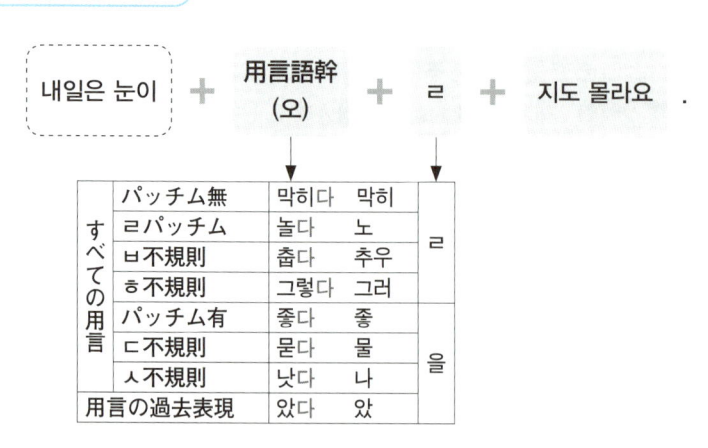

『〜(으)ㄹ지도 모르다』は「(これから)〜かもしれない」という表現です。『〜』には 動詞 ・ 形容詞 ・ 指定詞 ・ 存在詞 ・用言の過去表現語幹が入ります。

●基本パターン●

내일은 눈이 + **用言語幹 (오)** + ㄹ + 지도 몰라요 .

すべての用言	パッチム無	막히다 막히	ㄹ
	ㄹパッチム	놀다 노	
	ㅂ不規則	춥다 추우	
	ㅎ不規則	그렇다 그러	
	パッチム有	좋다 좋	을
	ㄷ不規則	묻다 물	
	ㅅ不規則	낫다 나	
用言の過去表現		았다 았	

〜かもしれない／〜을 지도 몰라요

😊 基本パターンで言ってみよう!

생각보다 많을지도 몰라요.
_{セッガックポダ マヌルチド モルラヨ}
思ったより多いかもしれない。

토요일이라서 길이 막힐지도 몰라요.
_{トヨイリラソ ギリ マキルチド モルラヨ}
土曜日なので道が混むかもしれない。

제가 만들어서 맛이 없을지도 몰라요.
_{チェガ マンドゥロソ マシ オップスルチド モルラヨ}
私が作ったのでおいしくないかもしれません。

미안해요. 이 길이 아닐지도 몰라요.
_{ミアネヨ イ ギリ アニルチド モルラヨ}
ごめんなさい。この道じゃないかもしれません。

그 말은 거짓말일지도 몰라요.
_{ク マルン ゴジンマリルチド モルラヨ}
その話はうそかもしれない。

아직 거기 있을지도 몰라요.
_{アジック ゴギ イッスルチド モルラヨ}
まだそこにあるかもしれません（いるかもしれません）。

⚠ これも知っておこう!

語尾の『몰라요』を活用させた例。

잊어버릴지 모르니까 메모해 두세요.
_{イジョボリルチ モルニカ メモヘ ドゥセヨ}
忘れるかもしれないのでメモしておいて。

51 ～したかもしれない

～았을지도 몰라요

基本フレーズ

<ruby>다른<rt>タルン</rt></ruby> <ruby>사람들이<rt>サラムドゥリ</rt></ruby> <ruby>벌써<rt>ポルソ</rt></ruby> <ruby>왔을지도<rt>ワッスルチド</rt></ruby> <ruby>몰라요<rt>モルラヨ</rt></ruby>.

他の人たちがもう来たかもしれません。

こんなときに使おう!
友人と一緒に集合場所に向かいながら…

『～았(었)을지도 모르다』はパターン50の過去形で、「～したかもしれない」という漠然とした過去の推測を表す表現です。『～』には 動詞 ・ 形容詞 ・ 指定詞 ・ 存在詞 の過去形が来ます。

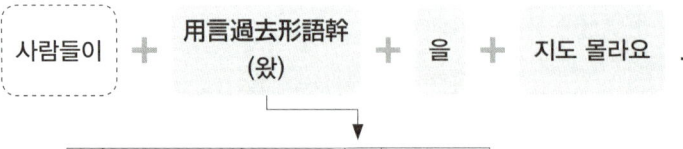

● 基本パターン ●

사람들이 ＋ **用言過去形語幹 (왔)** ＋ 을 ＋ 지도 몰라요 .

用言			
	陽母音語幹	오다	았 → 왔
	陰母音語幹	버리다	었 → 버렸
	存在詞	이다	었 → 이었/였
	하다用言	퇴근하다	했 → 퇴근했

〜したかもしれない／〜았을지도 몰라요

基本パターンで言ってみよう!

_{ボリョッスルチド　モルラヨ}
버렸을지도 몰라요.
捨てたかもしれない。

_{トゥゴワッスルチド　モルラヨ}
두고왔을지도 몰라요.
置いてきたかもしれません。

_{ウリ　チャレガ　ヂナガッスルチド　モルラヨ}
우리 차례가 지나갔을지도 몰라요.
私たちの順番が過ぎたかも。

_{タナカシヌン　ボルソ　テグネッスルチド　モルラヨ}
다나카 씨는 벌써 퇴근했을지도 몰라요.
田中さんはもう退社したかもしれません。

_{シガニ　マニ　ヂナッスニカ　イミ　イジョッスルチド　モルラヨ}
시간이 많이 지났으니까 이미 잊었을지도 몰라요.
時間がいっぱい経っているので、もう忘れたかもしれません。

_{ノンダミオッスルチド　モルラヨ}
농담이었을지도 몰라요.
冗談だったかもしれない。

_{ク　チングガ　ヂグムン　ビョルロジマン　イェンナレヌン　イェポッスルチド　モルラヨ}
그 친구가 지금은 별로지만 옛날에는 예뻤을지도 몰라요.
彼女は今は大したことないけど昔はきれいだったかもしれないよ。

> **ワンポイント**　「彼」は『그』、「彼女」は『그녀』ですが、会話ではほとんど使われません。会話では性別関係なく『그 친구』(その友人・人)を使います。

52 〜はずがありません

〜을 리가 없어요

基本フレーズ

グ チングヌン チョルテロ トロジル リガ オップソヨ
그 친구는 절대로 **떨어질 리가 없어요**.

彼は絶対に落ちるはずがありません。

こんなときに使おう！
合格を確信して…

『〜 (으)ㄹ 리가 없다』は「〜はずがない」、そうなる理由や可能性がないという話者の確信・考えを表す表現です。「信じられない」という意味合いを含む場合もあります。

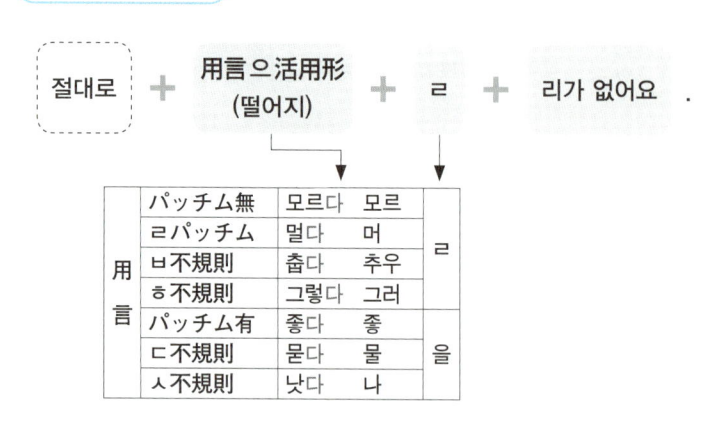

基本パターン

절대로 + 用言ㄹ活用形（떨어지） + ㄹ + 리가 없어요 .

用言	パッチム無	모르다	모르	ㄹ
	ㄹパッチム	멀다	머	
	ㅂ不規則	춥다	추우	
	ㅎ不規則	그렇다	그러	
	パッチム有	좋다	좋	을
	ㄷ不規則	묻다	물	
	ㅅ不規則	낫다	나	

～はずがありません／～을 리가 없어요

基本パターンで言ってみよう！

알 리가 없어요.
知っているはずがありません。

모를 리가 없어요.
知らないはずがありません。

그럴 리가 없어요.
そんなはずがありません。

길을 잘못 들었나 봐요. 이렇게 멀 리가 없어요.
道を間違えて入ったみたい。こんなに遠いはずがない。

안 올 리가 없어요. 좀 더 기다려요.
来ないはずがありません。もう少し待ちましょう。

난방을 켰는데 이렇게 추울 리가 없어요.
暖房をつけたのにこんなに寒いはずがありません。

これも知っておこう！

過去の表現「～した（だった）はずがない」は『過去語幹 았(었・했)+을 리가 없어요』になります。

갔을 리가 없어요.
行ったはずがないよ。

53 〜するしかない
〜을 수 밖에 없어요

基本フレーズ

믿을 수 밖에 없어요.
ミドゥル ス バケ オップソヨ

信じるしかありません。

こんなときに使おう!
結果を待ちながら…

『動詞・存在詞+(으)ㄹ 수 밖에 없다』は「〜するしかない」「〜以外に他の方法や可能性がない」ことを表す表現です。

文法的には『用言+語尾 (으)ㄹ+依存名詞 수+助詞 밖에+形容詞 없다』が組み合わさったものです。

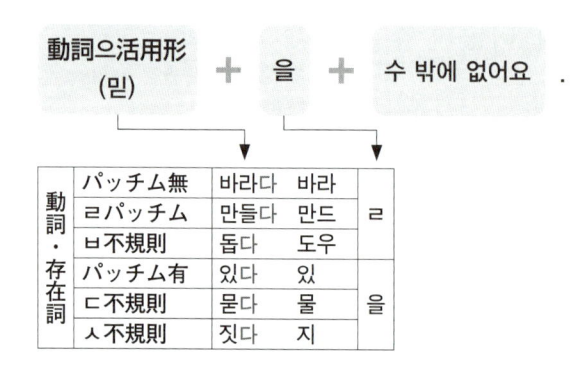

基本パターン

動詞ㅇ活用形 (믿) ＋ 을 ＋ 수 밖에 없어요.

動詞・存在詞	パッチム無	바라다	바라	ㄹ
	ㄹパッチム	만들다	만드	
	ㅂ不規則	돕다	도우	
	パッチム有	있다	있	을
	ㄷ不規則	묻다	물	
	ㅅ不規則	짓다	지	

～するしかない／～을 수 밖에 없어요

基本パターンで言ってみよう!

그렇게 <ruby>할 수 밖에 없어요<rt>ハル ス バケ オップソヨ</rt></ruby>.
<ruby>그렇게<rt>クロッケ</rt></ruby>
そうするしかありません。

일찍 <ruby>잘 수 밖에 없어요<rt>チャル ス バケ オップソヨ</rt></ruby>.
<ruby>일찍<rt>イルチック</rt></ruby>
早く寝るしかありません。

<ruby>기다릴 수 밖에 없어요<rt>キダリル ス バケ オップソヨ</rt></ruby>.
待つしかない。

일방통행이라 <ruby>우회할 수 밖에 없어요<rt>ウフェハル ス バケ オップソヨ</rt></ruby>.
<ruby>일방통행이라<rt>イルバントンヘンイラ</rt></ruby>
一方通行なので迂回するしかないよ。

전철이 없으니까 <ruby>걸을 수 밖에 없어요<rt>ゴル ス バケ オップソヨ</rt></ruby>.
<ruby>전철이 없으니까<rt>ジョンチョリ オップスニカ</rt></ruby>
電車がないので歩くしかない。

그러기를 <ruby>바랄 수 밖에 없어요<rt>バラル ス バケ オップソヨ</rt></ruby>.
<ruby>그러기를<rt>クロギルル</rt></ruby>
そうなることを祈るしかない。

これも知っておこう!

『없어요』を『없었어요』に変えると過去の表現になります。

제가 <ruby>포기할 수 밖에 없었어요<rt>ポギハル ス バケ オップソッソヨ</rt></ruby>.
<ruby>제가<rt>チェガ</rt></ruby>
私は諦めるしかありませんでした。

54 〜は当然です

〜을 수 밖에 없어요

基本フレーズ

맛있을 수 밖에 없어요.
マシスルル ス バケ オップソヨ

おいしいのは当然です。

こんなときに使おう!
「おいしいね」と言う友人に…

パターン53と同じ文型ですが、ここでは『形容詞・指定詞+(으)ㄹ 수 밖에 없다』で「〜のが当然(必然)です」という表現です。

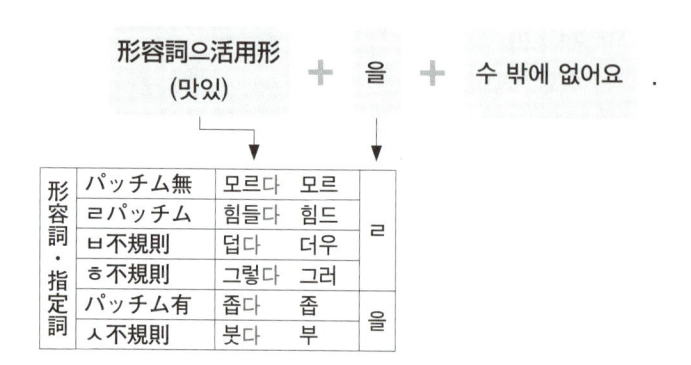

基本パターン

形容詞ㄹ活用形 + 을 + 수 밖에 없어요 .
(맛있)

形容詞・指定詞	パッチム無	모르다	모르	ㄹ
	ㄹパッチム	힘들다	힘드	
	ㅂ不規則	덥다	더우	
	ㅎ不規則	그렇다	그러	
	パッチム有	좁다	좁	을
	ㅅ不規則	붓다	부	

~は当然です／～을 수 밖에 없어요

基本パターンで言ってみよう!

방이 더울 수 밖에 없어요.
部屋が暑いのは当然です。

힘들 수 밖에 없어요.
辛いのは当然です。

월급이 적으니까 가난할 수 밖에 없어요.
給料が少ないから貧乏なのは当然だ。

물건이 많으니까 방이 좁을 수 밖에 없어요.
物が多いから部屋が狭いのは当然だ。

가방이 무거울 수 밖에 없어요.
かばんが重いのは当然だ。

연습을 많이 하니까 잘할 수 밖에 없어요.
練習をたくさんするのでうまいのは当然です。

これも知っておこう!

『없어요』を『없었어요』に変えると過去の表現になります。

안 배웠으니까 모를 수 밖에 없었어요.
習ってないから、わからないのは当然でした。

55 ～すればよかった
～을 걸 그랬어요

基本フレーズ

표를 미리 사 둘 걸 그랬어요.
ピョルル ミリ サ ドゥル コル グレッソヨ

チケットを買っておけばよかった。

こんなときに使おう!
好きな歌手のチケットが売り切れたと聞いて…

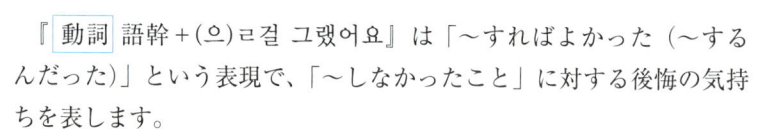

『動詞 語幹+(으)ㄹ걸 그랬어요』は「～すればよかった（～するんだった）」という表現で、「～しなかったこと」に対する後悔の気持ちを表します。

『걸』は『것을』(ことを、ものを)の縮まった形です。

基本パターン

표를 미리 + 動詞으活用形 (사 두) + ㄹ + 걸 그랬어요 .

動詞・存在詞				
	パッチム無	가다	가	ㄹ
	ㄹパッチム	만들다	만드	
	ㅂ不規則	돕다	도우	
	パッチム有	받다	받	을
	ㄷ不規則	묻다	물	
	ㅅ不規則	짓다	지	

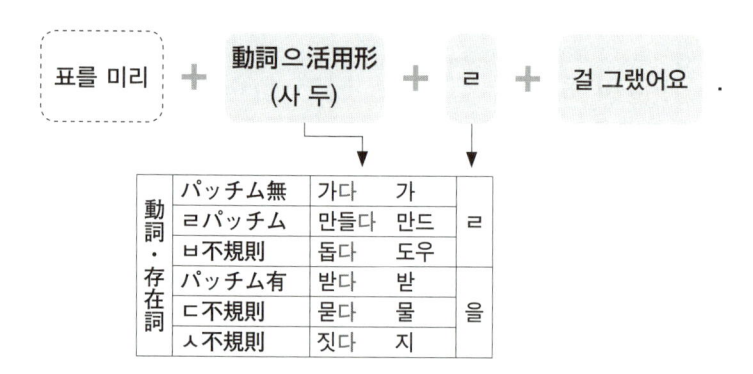

~すればよかった／~을 걸 그랬어요

😊 基本パターンで言ってみよう！

나도 같이 _{ナド ガチ} **갈 걸 그랬어요**_{ガル コル グレッソヨ}.
私も一緒に行けばよかった。

조금만 더 _{チョグンマン ド} **기다릴 걸 그랬어요**_{ギダリル コル グレッソヨ}.
もう少し待てばよかった。

미리 _{ミリ} **전화할 걸 그랬어요**_{チョナハル コル グレッソヨ}.
前もって電話すればよかった。

돈을 좀 _{トヌル チョム} **모아둘 걸 그랬어요**_{モアドゥル コル グレッソヨ}.
お金をもう少し貯めておくんだった。

학교 다닐 때 좀 더 열심히 _{ハッキョ ダニル テ チョム ド ヨルシミ} **공부할 걸 그랬어요**_{ゴンブハル コル グレッソヨ}.
学生時代にもう少し頑張って勉強するんだった。

⚠ これも知っておこう！

『그랬어요』をつけない『動詞語幹＋(으)ㄹ걸』だと独り言になります。

선물을 줄 때 _{ソンムル ジュル テ} **받을 걸**_{バドゥルコル}.
プレゼントをくれたとき、もらっておけばよかった。

나도 _{ナド} **따라갈 걸**_{タラガルコル}.
私もついて行くんだった。

56 ～と思うけど

～을걸요

基本フレーズ ♪

베카ジョムン アホップ シエ ヨルコルヨ
백화점은 아홉 시에 열걸요.
デパートは9時に開くと思うけど。

こんなときに使おう!
開店時間を聞かれたけれど自信がないとき…

『動詞 語幹+(으)ㄹ걸요』は「～と思うけど（確信はないよ）」という表現です。まだ起きていないことや、よく知らないことに対して話者の推測を表します。パターン13の推測表現『～(으)ㄹ 거예요』と似ていますが、『～(으)ㄹ걸요』のほうが更に根拠の乏しい推測表現となります。親しい友人、目下の人には丁寧語尾『요』をつけません。

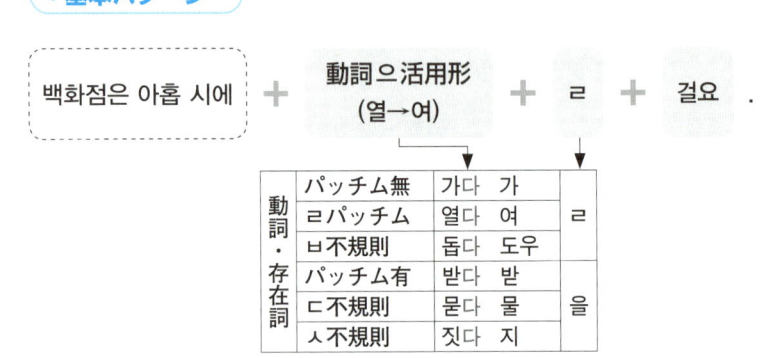

●基本パターン●

백화점은 아홉 시에 ＋ 動詞ㅇ活用形 (열→여) ＋ ㄹ ＋ 걸요 ．

動詞・存在詞	パッチム無	가다	가	ㄹ
	ㄹパッチム	열다	여	
	ㅂ不規則	돕다	도우	
	パッチム有	받다	받	을
	ㄷ不規則	묻다	물	
	ㅅ不規則	짓다	지	

～と思うけど／～을걸요

基本パターンで言ってみよう!

지금쯤 설악산에는 눈이 올걸요.
今ごろ雪岳山には雪が降ってると思うけど。

지애 씨는 고기를 안 먹을걸요.
チエさんは肉を食べないと思いますけど。

벌써 여덟 시예요. 모두들 퇴근했을걸요.
もう8時だよ。みんな退社したと思うけど。

와타나베 씨도 아직 그 영화를 안 봤을걸요.
渡辺さんもまだその映画を観てないと思うよ。

저기가 동대문시장일걸요.
あそこが東大門市場だと思うけど。

요즘 애들은 다 휴대전화 갖고 있을걸요.
最近の子はみんな携帯電話を持ってると思うけど。

아마 이쪽으로 가는 게 맞을걸요.
たぶんこっちで合ってると思うけど。

57 ～と思いました

～을 줄 알았어요

基本フレーズ

イルチック モン ニロナル チュル アラッソヨ
일찍 못 일어날 줄 알았어요.
早起きできないと思いました。

こんなときに使おう!
朝寝坊する友人が旅先で珍しく早起きしたとき…

『～(으)ㄹ 줄 알았어요』は「～と思いました」という表現です。『～』には 動詞・形容詞・存在詞・指定詞 語幹が入ります。

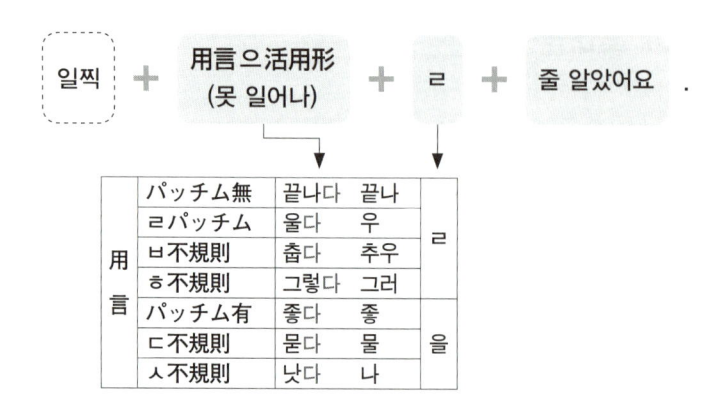

基本パターン

일찍 + 用言ㅇ活用形 (못 일어나) + ㄹ + 줄 알았어요 .

用言	パッチム無	끝나다	끝나	ㄹ
	ㄹパッチム	울다	우	
	ㅂ不規則	춥다	추우	
	ㅎ不規則	그렇다	그러	
	パッチム有	좋다	좋	을
	ㄷ不規則	묻다	물	
	ㅅ不規則	낫다	나	

〜と思いました／〜을 줄 알았어요

基本パターンで言ってみよう！

<ruby>キポハル チュル アラッソヨ</ruby>
기뻐할 줄 알았어요.
喜ぶと思いました。

<ruby>ク コンソトゥヘ ガル チュル アラッソヨ</ruby>
그 콘서트에 갈 줄 알았어요.
あのコンサートに行くと思いました。

<ruby>ブモニミ ダ ガスニカ ノレルル チャラル チュル アラッソヨ</ruby>
부모님이 다 가수니까 노래를 잘할 줄 알았어요.
両親が二人とも歌手だから歌がうまいと思いました。

<ruby>クロル チュル アラッソヨ</ruby>
그럴 줄 알았어요.
そうだと思いました。

<ruby>チョム ド チュウル チュル アラッソヨ</ruby>
좀 더 추울 줄 알았어요.
もうちょっと寒いかと思った。

<ruby>ポンポン ウル チュル アラッソヨ</ruby>
펑펑 울 줄 알았어요.
おいおい泣くかと思った。

<ruby>ト パルリ クンナル チュル アラッソヨ</ruby>
더 빨리 끝날 줄 알았어요.
もっと早く終わるかと思った。

<ruby>ハップキョカル チュル アラッソヨ</ruby>
합격할 줄 알았어요.
合格すると思ってました。

Ⅱ 使える！頻出パターン51

58 〜とは思わなかった
〜을 줄 몰랐어요

基本フレーズ

イロッケ ヒンムドゥル チュル モルラッソヨ
이렇게 힘들 줄 몰랐어요.
こんなに大変だとは思わなかったよ。

こんなときに使おう!
予想に反して大変なとき…

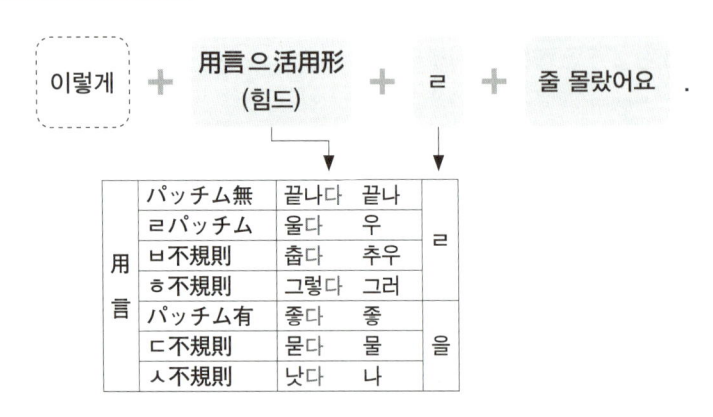

『〜(으)ㄹ 줄 몰랐다』は「〜とは思わなかった」という表現です。期待や予測と違うときに使います。『〜』には 動詞 ・ 形容詞 ・ 存在詞 ・ 指定詞 ・過去語尾았(었)など、すべての用言の語幹が入ります。

●基本パターン●

이렇게 + 用言의活用形(힘드) + ㄹ + 줄 몰랐어요 .

用言	パッチム無	끝나다	끝나	ㄹ
	ㄹパッチム	울다	우	
	ㅂ不規則	춥다	추우	
	ㅎ不規則	그렇다	그러	
	パッチム有	좋다	좋	을
	ㄷ不規則	묻다	물	
	ㅅ不規則	낫다	나	

〜とは思わなかった／〜을 줄 몰랐어요

🙂 基本パターンで言ってみよう！

^{イロッケ} ^{チュウル チュル モルラッソヨ}
이렇게 **추울 줄 몰랐어요**.
こんなに寒いとは思わなかった。

^{クロル チュル モルラッソヨ}
그럴 줄 몰랐어요.
そうするとは思わなかった。

^{チョンマル オル チュル モルラッソヨ}
정말 **올 줄 몰랐어요**.
本当に来るとは思わなかった。

^{クロッケ ノレルル チャラル チュル モルラッソヨ}
그렇게 노래를 **잘할 줄 몰랐어요**.
あんなに歌がうまいとは思わなかった。

^{ヨギエ イッスル チュル モルラッソヨ}
여기에 **있을 줄 몰랐어요**.
ここにいるとは思わなかった。

^{チョ サラミ ソンセンニミル チュル モルラッソヨ}
저 사람이 선생님**일 줄은 몰랐어요**.
まさかあの人が先生とは思わなかった。

ワンポイント　『줄』と『몰랐어요』の間に『은』などの助詞を入れることで細かいニュアンスを表します。

59　～だそうです ①

～대요

基本フレーズ

내일은 비가 온대요.
(ネイルン　ビガ　オンデヨ)

明日は雨が降るそうです。

こんなときに使おう！
「明日の天気予報を見た？」と聞かれて…

『動詞 パッチム無・ㄹ語幹＋ㄴ대요』『動詞 パッチム有語幹＋는대요』『形容詞・存在詞 語幹＋대요』は、「～そうです」という、話者が聞いたことや知っていることを伝える表現です。

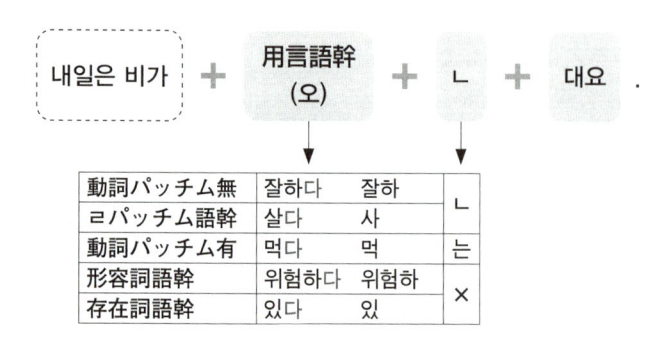

基本パターン

내일은 비가 ＋ 用言語幹(오) ＋ ㄴ ＋ 대요 ．

動詞パッチム無	잘하다	잘하	ㄴ
ㄹパッチム語幹	살다	사	
動詞パッチム有	먹다	먹	는
形容詞語幹	위험하다	위험하	×
存在詞語幹	있다	있	

~だそうです ①／~대요

基本パターンで言ってみよう!

물가가 오른대요.
_{ムルカガ オルンデヨ}
物価が上がるそうです。

선생님이 이번에는 홋카이도로 간대요.
_{ソンセンニミ イボネヌン ホッカイドロ ガンデヨ}
先生は今度は北海道に行くそうです。

그 친구는 영어를 잘한대요.
_{ク チングヌン ヨンオルル チャランデヨ}
彼女は英語がうまいそうです。

좀 춥대요.
_{チョム チュプテヨ}
ちょっと寒いそうだ。

드라마가 아주 재미있대요.
_{ドゥラマガ アジュ ジェミイッテヨ}
ドラマがおもしろいそうです。

거기는 위험하대요.
_{コギヌン ウィホマデヨ}
そこは危険だそうです。

그건 별로 맛이 없대요.
_{クゴン ビョルロ マシ オップテヨ}
それはあまりおいしくないそうです。

우리 아들이 유학 가고 싶대요.
_{ウリ アドゥリ ユハック ガゴ シップテヨ}
うちの息子が留学したいそうです。

Ⅱ 使える! 頻出パターン51

60 〜だそうです ②

〜(이)래요

基本フレーズ

내일은 눈이래요.
(ネイルン　ヌニレヨ)

明日は雪だそうです。

こんなときに使おう！
「明日の天気予報を見た？」と聞かれて…

『 名詞 + 存在詞 (이)래요』は「 名詞 〜だそうです、〜だって、〜ですって」という、話者が聞いたこと・知っていることを伝える表現です。

『 名詞 +이다+라고 해요』の『다+라』の部分が合体して『래』、『고 해요』を縮めて『요』になったものです。

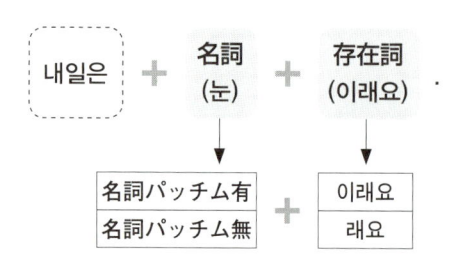

● 基本パターン ●

내일은 ＋ 名詞(눈) ＋ 存在詞(이래요)

名詞パッチム有	이래요
名詞パッチム無	래요

182

~だそうです ②／~(이)래요

基本パターンで言ってみよう!

저기가 박물관이래요.
あそこが博物館だそうです。

저분이 새 과장님이래요.
あの方が新しい課長だそうです。

사치코 씨는 탕수육이래요.
幸子さんは酢豚だそうです。〔料理の注文を取り次ぐとき〕

그분 따님이 벌써 대학생이래요.
彼女の娘さんがもう大学生ですって。

이렇게 보여도 이게 명품이래요.
こう見えても、これがブランド品だそうです。

ワンポイント 『이게』は『이것이』が縮まった形です。

다음 콘서트는 유 월이래요.
次のコンサートは6月だそうです。

이게 아주 유명한 요리래요.
これはとても有名な料理だそうです。

61 〜してばかりいます

名詞 +만 〜아요

基本フレーズ

우리집 고양이는 잠만 자요.
(ウリジップ　ゴヤンイヌン　チャンムマン　ジャヨ)

うちのネコは寝てばかりいます。

こんなときに使おう！
「ネコは元気？」と聞かれて…

『 名詞 +만 〜아/어요』は「 名詞 +だけ〜します＝〜してばかりいます・〜ばかりしています」という限定を表す表現です。

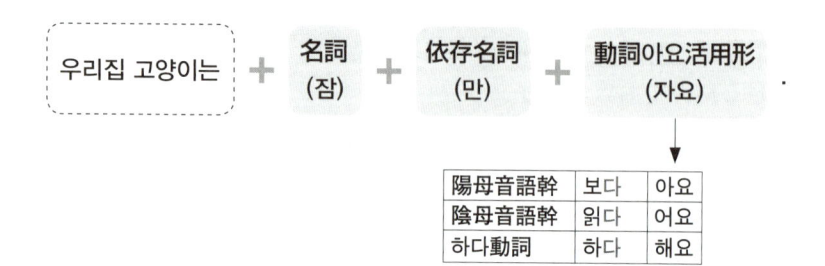

基本パターン

우리집 고양이는 ＋ 名詞(잠) ＋ 依存名詞(만) ＋ 動詞아요活用形(자요)

陽母音語幹	보다	아요
陰母音語幹	읽다	어요
하다動詞	하다	해요

〜してばかりいます／名詞+만 〜아요

基本パターンで言ってみよう!

<ruby>매일<rt>メイル</rt></ruby> <ruby>책<rt>チェンマン</rt></ruby><ruby>만<rt></rt></ruby> <ruby>읽어요<rt>イルゴヨ</rt></ruby>.
毎日、本ばかり読んでいる。

<ruby>울기<rt>ウルギマン</rt></ruby>만 <ruby>해요<rt>ヘヨ</rt></ruby>.
泣いてばかりいます。

ワンポイント 『울기』は『울다』の名詞形「泣くこと」。

<ruby>한국<rt>ハングック</rt></ruby> <ruby>드라마<rt>ドゥラママン</rt></ruby>만 <ruby>봐요<rt>バヨ</rt></ruby>.
韓国ドラマばかり観ています。

<ruby>언제나<rt>オンジェナ</rt></ruby> <ruby>같은<rt>ガトゥン</rt></ruby> <ruby>소리<rt>ソリマン</rt></ruby>만 <ruby>해요<rt>ヘヨ</rt></ruby>.
いつも同じことばかり言っている。

<ruby>말은<rt>マルン</rt></ruby> <ruby>안<rt>アナゴ</rt></ruby> <ruby>하고<rt></rt></ruby> <ruby>커피<rt>コピマン</rt></ruby>만 <ruby>마셔요<rt>マショヨ</rt></ruby>.
何も言わずコーヒーばかり飲んでいる。

<ruby>공부는<rt>コンブヌン</rt></ruby> <ruby>안<rt>アナゴ</rt></ruby> <ruby>하고<rt></rt></ruby> <ruby>게임<rt>ケイムマン</rt></ruby>만 <ruby>해요<rt>ヘヨ</rt></ruby>.
勉強はしないでゲームばかりやっています。

<ruby>언제나<rt>オンジェナ</rt></ruby> <ruby>불평<rt>ノルピョンマン</rt></ruby>만 <ruby>늘어<rt>ヌロ</rt></ruby> <ruby>놓아요<rt>ノアヨ</rt></ruby>.
いつも不平ばかり並べています。

62 …だけ〜すればいいです

名詞 + 만 〜 돼요

基本フレーズ

여기<u>만</u> 쓰<u>면</u> 돼요.
(ヨギマン スミョン デヨ)

ここだけ書けばいいです。

こんなときに使おう!
「どこに書けばいいの?」と聞かれて…

『 名詞 +만 〜 (으)면 돼요』は「 名詞 +だけ(さえ)〜すればいいです」という表現です。『〜』には 動詞 ・ 形容詞 ・ 存在詞 が入ります。
『만』『뿐』はどちらも「だけ」ですが、『 名詞 +만』『 用言 +뿐』と使い分けます。

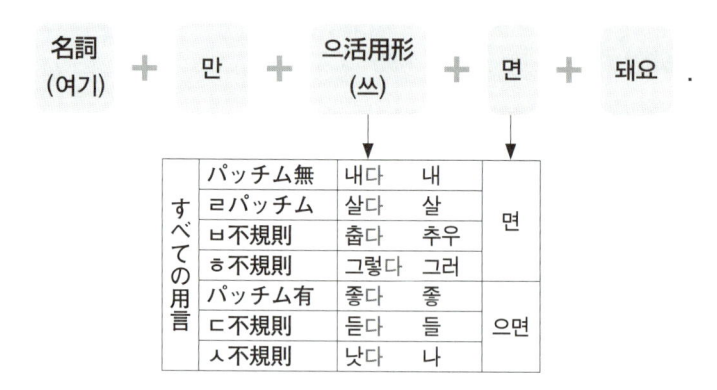

基本パターン

名詞 (여기) + 만 + 으活用形 (쓰) + 면 + 돼요 .

すべての用言	パッチム無	내다	내	면
	ㄹパッチム	살다	살	
	ㅂ不規則	춥다	추우	
	ㅎ不規則	그렇다	그러	
	パッチム有	좋다	좋	으면
	ㄷ不規則	듣다	들	
	ㅅ不規則	낫다	나	

…だけ～すればいいです／名詞＋만 ～돼요

基本パターンで言ってみよう！

바꾸기만 하면 돼요.
取り替えだけすればいいよ。

오천 엔만 내면 돼요.
5000円だけ出せばいいです。

무조건 듣기만 하면 돼요.
ただ聞くだけでいいです。（聞くことだけすればいいです。）

ワンポイント 『무조건』無条件に、ただ

매운 음식만 안 먹으면 돼요.
辛い物だけ食べなければいいよ。

같이 가기만 하면 돼요.
一緒に行くだけでいいです。

세 권만 더 읽으면 돼요.
あと3冊読むだけでいいです。

당신만 좋으면 돼요.
あなたさえよければいいです。

63 〜だけです
〜을 뿐이에요

基本フレーズ

_{キョトンイ　チョム　プルピョナル　ブニエヨ}
교통이 좀 불편할 뿐이에요.
交通がちょっと不便なだけです。

こんなときに使おう!
「田舎はいろいろと不便じゃない?」と言われて…

『〜(으)ㄹ 뿐이에요』は「〜するだけです」「〜なだけです」という限定を表す表現です。『〜』には 動詞 ・ 形容詞 ・ 指定詞 ・ 存在詞 ・ 過去語幹（았・었・했・였）が入ります。

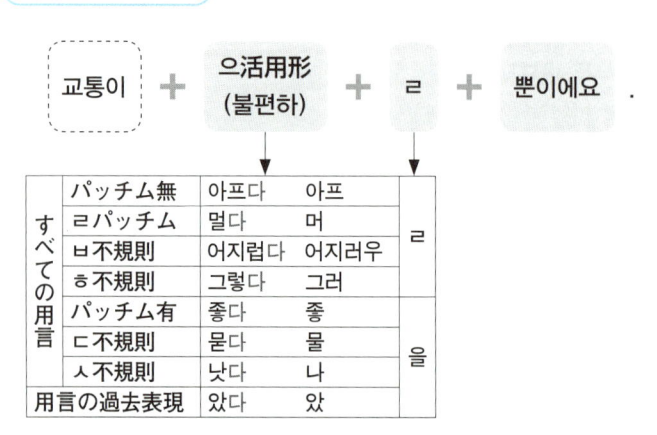

基本パターン

교통이 ＋ 으活用形（불편하）＋ ㄹ ＋ 뿐이에요 ．

すべての用言	パッチム無	아프다	아프	ㄹ
	ㄹパッチム	멀다	머	
	ㅂ不規則	어지럽다	어지러우	
	ㅎ不規則	그렇다	그러	
	パッチム有	좋다	좋	을
	ㄷ不規則	묻다	물	
	ㅅ不規則	낫다	나	
用言の過去表現		았다	았	

〜だけです／〜을 뿐이에요

基本パターンで言ってみよう！

<ruby>좀<rt>チョム</rt></ruby> <ruby>멀<rt>モル</rt></ruby> <ruby>뿐이에요<rt>プニエヨ</rt></ruby>.
ちょっと遠いだけです。

<ruby>그냥<rt>クニャン</rt></ruby> <ruby>기다릴<rt>ギダリル</rt></ruby> <ruby>뿐이에요<rt>プニエヨ</rt></ruby>.
ただ待つだけです。

<ruby>배가<rt>ペガ</rt></ruby> <ruby>고플<rt>ゴプル</rt></ruby> <ruby>뿐이에요<rt>プニエヨ</rt></ruby>.
お腹が空いているだけだ。

<ruby>다리가<rt>タリガ</rt></ruby> <ruby>좀<rt>チョム</rt></ruby> <ruby>아플<rt>アプル</rt></ruby> <ruby>뿐이에요<rt>プニエヨ</rt></ruby>.
脚がちょっと痛いだけです。

<ruby>좀<rt>チョム</rt></ruby> <ruby>혼란스러웠을<rt>ホンランスロウォッスル</rt></ruby> <ruby>뿐이에요<rt>プニエヨ</rt></ruby>.
ちょっと混乱しただけです。

<ruby>약간<rt>ヤッカン</rt></ruby> <ruby>어지러울<rt>オジロウル</rt></ruby> <ruby>뿐이에요<rt>プニエヨ</rt></ruby>.
少しめまいがするだけです。

ワンポイント 『어지럽다』めまいがする

これも知っておこう！

『〜(으)ㄹ 뿐(만) 아니라〜』(〜だけでなく〜) の形でも使われます。

<ruby>눈이<rt>ヌニ</rt></ruby> <ruby>올<rt>オル</rt></ruby> <ruby>뿐만<rt>プンマン</rt></ruby> <ruby>아니라<rt>アニラ</rt></ruby> <ruby>바람도<rt>バラムド</rt></ruby> <ruby>많이<rt>マニ</rt></ruby> <ruby>불어요<rt>プロヨ</rt></ruby>.
雪が降るだけでなく、風も強く吹いている。

64 ～するね

～는다

基本フレーズ

나 먼저 간다.
(ナ モンジョ ガンダ)

私、先に帰るね。

こんなときに使おう!
友人たちとの集まりで先に帰るときに…

『動詞 +～(ㄴ)는다』は、親しい友人や目下の人に対して言い切る表現で、「～するね」「～するよ」という意味です。

また、日記や新聞や雑誌など「ですます」調の丁寧な表現でない「～だ」調の表現（動詞の現在終止形）です。形容詞、存在詞、指定詞、過去形語尾は基本形がそのまま終止形になります。

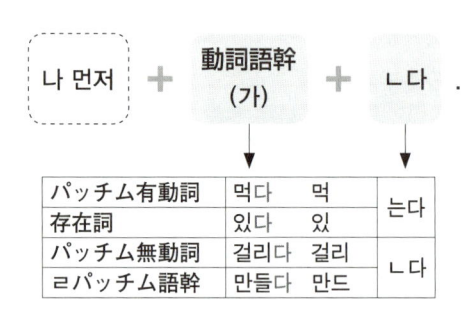

基本パターン

나 먼저 + 動詞語幹 (가) + ㄴ다 .

パッチム有動詞	먹다	먹	는다
存在詞	있다	있	
パッチム無動詞	걸리다	걸리	ㄴ다
ㄹパッチム語幹	만들다	만드	

〜するね／〜는다

基本パターンで言ってみよう!

정말 일본말 잘한다.
本当に日本語、上手だね。

노래 잘 부른다.
歌が上手だね。

뭐든지 잘 먹는다.
何でもよく食べる。

나는 옷을 직접 만든다.
私は服を手作りする。

봄인데 눈이 온다.
春なのに雪が降る。

한 시간 걸린다.
1時間かかる。

약을 먹어야 빨리 낫는다.
薬を飲まないと早く治らないよ。

65 すごく〜です

얼마나 〜지 몰라요

基本フレーズ ♪

オルマナ　チュウンジ　モルラヨ
얼마나 추운지 몰라요.
すごく寒いです。

こんなときに使おう!
「ソウルの冬って寒い?」と聞かれて…

『얼마나+ 形容詞 〜(으)ㄴ지 몰라요』は「どんなに〜かわからない」
→その程度がわからないほど「すごく〜です」と、『〜』部分(形容詞 ・ 指定詞)を強調する表現です。

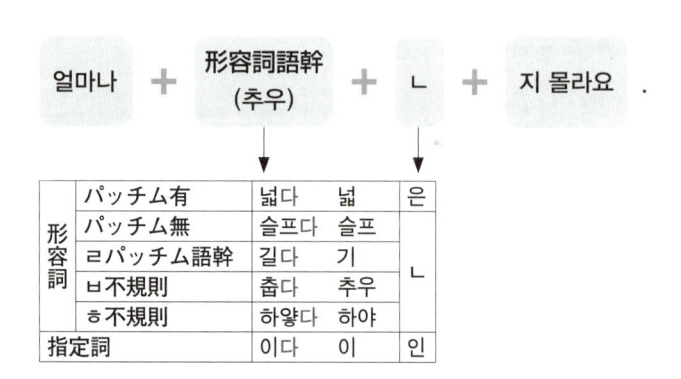

● 基本パターン ●

얼마나 ＋ 形容詞語幹 (추우) ＋ ㄴ ＋ 지 몰라요 .

形容詞	パッチム有	넓다	넓	은
	パッチム無	슬프다	슬프	ㄴ
	ㄹパッチム語幹	길다	기	
	ㅂ不規則	춥다	추우	
	ㅎ不規則	하얗다	하야	
指定詞		이다	이	인

すごく〜です／얼마나 〜지 몰라요

基本パターンで言ってみよう！

<ruby>얼마나<rt>オルマナ</rt></ruby> <ruby>예쁜<rt>イェブンジ</rt></ruby>지 <ruby>몰라요<rt>モルラヨ</rt></ruby>.
すごくきれい（かわいい）。

<ruby>얼마나<rt>オルマナ</rt></ruby> <ruby>깨끗한<rt>ケクタンジ</rt></ruby>지 <ruby>몰라요<rt>モルラヨ</rt></ruby>.
すごくきれい（清潔）。

<ruby>얼마나<rt>オルマナ</rt></ruby> <ruby>착한<rt>チャカンジ</rt></ruby>지 <ruby>몰라요<rt>モルラヨ</rt></ruby>.
すごく性格がいいよ。

<ruby>얼마나<rt>オルマナ</rt></ruby> <ruby>슬픈<rt>スルプンジ</rt></ruby>지 <ruby>몰라요<rt>モルラヨ</rt></ruby>.
すごく悲しい。

<ruby>집이<rt>チビ</rt></ruby> <ruby>얼마나<rt>オルマナ</rt></ruby> <ruby>넓은<rt>ノルブンジ</rt></ruby>지 <ruby>몰라요<rt>モルラヨ</rt></ruby>.
家がすごく広い。

<ruby>얼마나<rt>オルマナ</rt></ruby> <ruby>구두쇠인<rt>グドゥセインジ</rt></ruby>지 <ruby>몰라요<rt>モルラヨ</rt></ruby>.
とてもケチです。

ワンポイント 『구두쇠』ケチ

<ruby>얼마나<rt>オルマナ</rt></ruby> <ruby>멋있는<rt>モンンヌンジ</rt></ruby>지 <ruby>몰라요<rt>モルラヨ</rt></ruby>.
すごくかっこいい。

66 〜くなります

〜져요

基本フレーズ

얼굴이 빨개져요.
オルグリ　パルゲジョヨ

顔が赤くなります。

こんなときに使おう!
「お酒を飲むとどう変わるの?」と聞かれて…

『形容詞語幹+아(어) 져요』は「〜くなります」という表現です。だんだんある状態になっていくことを表します。

『存在詞 없다+어 져요』は「なくなります」です。

基本パターン

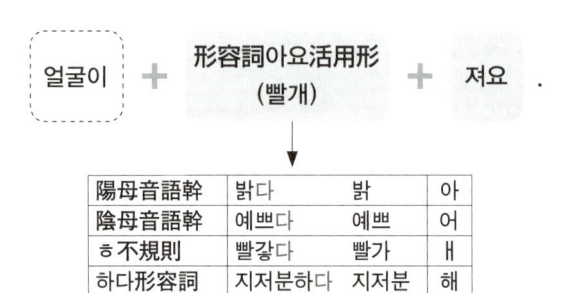

얼굴이 + 形容詞아요活用形 (빨개) + 져요 .

陽母音語幹	밝다	밝	아
陰母音語幹	예쁘다	예쁘	어
ㅎ不規則	빨갛다	빨가	ㅐ
하다形容詞	지저분하다	지저분	해

~くなります／~져요

😊 基本パターンで言ってみよう！

곧 _{コッ} 어두워져요_{オドゥウォジョヨ}.
すぐ暗くなります。

하지까지는_{ハジカジヌン} 낮이_{ナジ} 점차_{ジョムチャ} 길어져요_{ギロジョヨ}.
夏至までは昼の時間が次第に長くなる。

크면_{クミョン} 다_ダ 예뻐져요_{イェポジョヨ}.
大きくなったらみんなきれいになります。

이쪽으로_{イチョグロ} 돌리면_{ドルリミョン} 소리가_{ソリガ} 커져요_{コジョヨ}.
こちらに回すと音が大きくなります。

안_{アン} 치우면_{チウミョン} 방이_{バンイ} 금방_{グンバン} 지저분해져요_{ヂジョブネジョヨ}.
片づけないと部屋がすぐ汚くなる。

다섯_{タソッ} 시면_{シミョン} 밝아져요_{バルガジョヨ}.
5時になるともう明るくなります。

⚠ これも知っておこう！

語尾の『～져요』を『～졌어요』に変えると過去形を表します。

많이_{マニ} 얌전해졌어요_{ヤムジョネジョッソヨ}.
だいぶおとなしくなりました。

67 ～と言う（引用）

～(이)라고

基本フレーズ

저는 최 규환이라고 합니다.
チョヌン　チェ　ギュファニラゴ　ハンムニダ

僕はチェ・ギュファンと言います。

こんなときに使おう！
自己紹介で名前を言うときに…

『 名詞 + (이)라고～』は「 名詞 と～」という引用表現です。「 」つきの直接引用のときは 名詞 の代わりに 文章 が入ります。

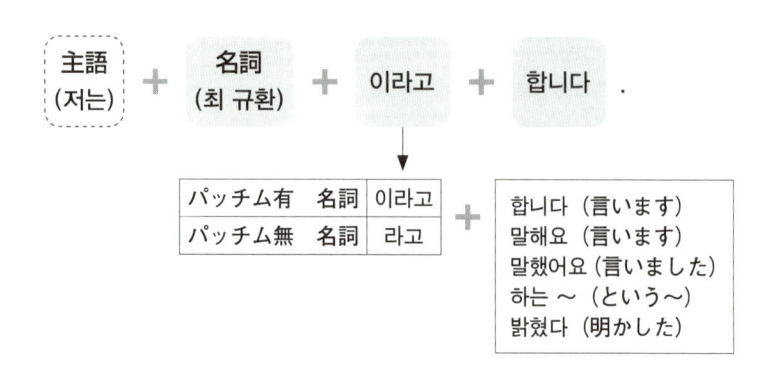

基本パターン

主語(저는) + 名詞(최 규환) + 이라고 + 합니다 .

| パッチム有 | 名詞 | 이라고 |
| パッチム無 | 名詞 | 라고 |

+ 합니다（言います）
　말해요（言います）
　말했어요（言いました）
　하는 ～（という～）
　밝혔다（明かした）

~と言う（引用）／~(이)라고

基本パターンで言ってみよう！

초봄의 추운 날씨를 꽃샘추위라고 해요.
春の寒い天気を、花冷えと言います。

'이밥'이라고 하는 가게예요.
「イバプ」というお店です。

팬을 '가족'이라고 표현했어요.
ファンを「家族」と表現しました。

처음있는 일이라고 했어요.
初めてのことだと言いました。

거짓말이라고 말해 주세요.
うそだと言ってください。

출입금지라고 써 있어요.
立入禁止と書いてあります。

68 いつ～？

언제~?

基本フレーズ

생일이 언제예요?
(センイリ オンジェエヨ)

誕生日はいつですか？

こんなときに使おう!
誕生日を聞くときに…

『언제～?』は「いつ～？」という表現です。『언제』は「いつ」「いつか」。

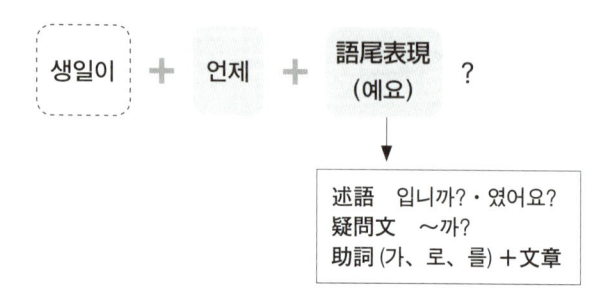

基本パターン

생일이 ＋ 언제 ＋ 語尾表現(예요) ？

→ 述語　입니까?・였어요?
疑問文　～까?
助詞 (가、로、를) ＋文章

いつ～？／언제～？

🙂 基本パターンで言ってみよう！

언제 였어요?
<ruby>언제<rt>オンジェ</rt></ruby> <ruby>였어요<rt>ヨッソヨ</rt></ruby>
いつだったんですか？

언제가 좋아요?
<ruby>언제가<rt>オンジェガ</rt></ruby> <ruby>좋아요<rt>ヂョアヨ</rt></ruby>
いつがいいですか？

答え方　다음 주가 좋아요. （来週がいいです）
　　　<ruby>다음<rt>タウンム</rt></ruby> <ruby>주가<rt>チュガ</rt></ruby> <ruby>좋아요<rt>ヂョアヨ</rt></ruby>

언제로 할까요?
<ruby>언제로<rt>オンジェロ</rt></ruby> <ruby>할까요<rt>ハルカヨ</rt></ruby>
いつにしましょうか？

언제든지 말씀해 주세요.
<ruby>언제든지<rt>オンジェドゥンジ</rt></ruby> <ruby>말씀해<rt>マルスメ</rt></ruby> <ruby>주세요<rt>ジュセヨ</rt></ruby>
いつでもおっしゃってください。

언제 한번 같이 식사해요.
<ruby>언제<rt>オンジェ</rt></ruby> <ruby>한번<rt>ハンボン</rt></ruby> <ruby>같이<rt>ガチ</rt></ruby> <ruby>식사해요<rt>シックサヘヨ</rt></ruby>
いつか一緒にお食事しましょう。

언제라고는 말할 수 없어요.
<ruby>언제라고는<rt>オンジェラゴヌン</rt></ruby> <ruby>말할<rt>マラル</rt></ruby> <ruby>수<rt>ス</rt></ruby> <ruby>없어요<rt>オップソヨ</rt></ruby>
いつとは言えません。

언제인지 모르겠어요.
<ruby>언제인지<rt>オンジェインジ</rt></ruby> <ruby>모르겠어요<rt>モルゲッソヨ</rt></ruby>
いつなのかわかりません。

시즈카 씨는 **언제**나 밝고 명랑해요.
<ruby>시즈카<rt>シヅカ</rt></ruby> <ruby>씨는<rt>シヌン</rt></ruby> <ruby>언제나<rt>オンジェナ</rt></ruby> <ruby>밝고<rt>バルコ</rt></ruby> <ruby>명랑해요<rt>ミョンナンヘヨ</rt></ruby>
静香さんはいつも明るく朗らかだ。

Ⅱ 使える！頻出パターン51

これも知っておこう!

【月】

1月	일월	(イルォル)		7月	칠월	(チルォル)
2月	이월	(イウォル)		8月	팔월	(パルォル)
3月	삼월	(サモォル)		9月	구월	(クウォル)
4月	사월	(サウォル)		10月	시월	(シウォル)
5月	오월	(オウォル)		11月	십일월	(シビルォル)
6月	유월	(ユウォル)		12月	십이월	(シビウォル)

【日にち】

1日	일일	(イリル)		6日	육일	(ユギル)
2日	이일	(イイル)		7日	칠일	(チリル)
3日	삼일	(サミル)		8日	팔일	(パリル)
4日	사일	(サイル)		9日	구일	(クイル)
5日	오일	(オイル)		10日	십일	(シビル)

【曜日】

月曜日	월요일	(ウォリョイル)
火曜日	화요일	(ファヨイル)
水曜日	수요일	(スヨイル)
木曜日	목요일	(モギョイル)
金曜日	금요일	(クミョイル)
土曜日	토요일	(トヨイル)
日曜日	일요일	(イリョイル)

【その他】

おととい	그저께 (그제)	(クジョケ)
昨日	어제	(オジェ)
今日	오늘	(オヌル)
明日	내일	(ネイル)
あさって	모레	(モレ)
明々後日	글피	(グルピ)
先週	지난 주	(チナンジュ)
今週	이번 주	(イボンチュ)
来週	다음 주	(タウムチュ)
先月	지난 달	(チナンタル)
今月	이번 달	(イボンタル)
来月	다음 달	(タウムタル)
去年	작년	(チャンニョン)
今年	올해	(オレ)
来年	내년	(ネニョン)
何年	몇 년	(ミョンニョン)

注：通常は「時を表す単語＋에（に）」ですが、『그제，어제，오늘，내일，모레，지금 올해』には『에』がつきません。

これも知っておこう!

【時計の表し方】

<アホップシ ジョンガック>
아홉 시 정각
9時ちょうど

<アホップシ オブン>
아홉 시 오 분
9時5分

<アホップシ シボブン>
아홉 시 십오 분
9時15分

<アホップシ バン> <アホップシ サムシップン>
아홉 시 반(= 아홉 시 삼십 분)
9時半　　　　（9時30分）

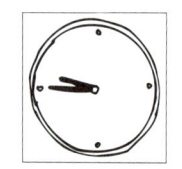

<アホップシ サシップオブン>
아홉 시 사십오 분
9時45分

<アホップシ オシップン>
아홉 시 오십 분
9時50分

【いろいろな時刻の表現のしかた】

アホップシ イムニダ
아홉 시입니다.
9時です。

オジョン アホップシエヨ
오전 아홉 시예요.
午前9時です。

アホップシ ジョンカギエヨ
아홉 시 정각이에요.
9時ちょうどです。

アホップシ チュミエヨ
아홉 시 쯤이에요.
だいたい9時です。

ゴット アホップシエヨ
곧 아홉 시예요.
もうすぐ9時です。

アホップシ チョム ジョニエヨ
아홉 시 좀 전이에요.
9時ちょっと前です。

アホップシ チョム ノモッソヨ
아홉 시 좀 넘었어요.
9時ちょっと過ぎです。

チョンオエヨ
정오예요.
正午12時です。

バム ヨルトゥシエヨ
밤 열두 시예요.
夜中の12時です。

II 使える！頻出パターン51

69 どこ～？

어디～?

基本フレーズ

장소가 **어디**예요?
(チャンソガ オディェヨ)

場所はどこですか？

こんなときに使おう！
場所を聞くときに…

『어디~?』は「どこ～？」という表現です。『어디』は「場所」「どういう所」。

基本パターン

장소가 ＋ 어디 ＋ 語尾表現(예요) ？

述語　입니까?・였어요?
疑問文　～까?
助詞 (가、로、를) ＋文章

基本パターンで言ってみよう！

콘서트했던 장소가 **어디**였어요?
(コンソトゥヘットン チャンソガ オディヨッソヨ)

コンサートをした場所はどこでしたか？

どこ〜？／어디〜？

_{オディェロ ハルカヨ}
어디로 할까요?
どこにしましょうか？

_{オディドゥンジ ゲンチャナヨ}
어디든지 괜찮아요.
どこでも大丈夫です。

_{オディエソ マンナルカヨ}
어디에서 만날까요?
どこで会いましょうか？

答え方 _{キョボムンゴ アペソ マンナヨ}
교보문고 앞에서 만나요.
（教保文庫の前で会いましょう）

_{シホム ボミガ オディカジエヨ}
시험 범위가 어디까지예요?
試験範囲はどこまでですか？

_{ク チングブネ オディガ チョアヨ}
그 친구분의 어디가 좋아요?
そのお友達のどういうところがいいの？

⚠ これも知っておこう!

_{イゴン オディッカジナ チェ センガギエヨ}
이건 어디까지나 제 생각이에요.
これはあくまでも私の考えです。

ワンポイント 『어디까지나』どこまでも、あくまでも

70 誰〜？
누구〜？

基本フレーズ

저 사람이 누구예요?
(チョサラミ ヌグエヨ)
あの人は誰ですか？

こんなときに使おう！
テレビに出ている人を見て…

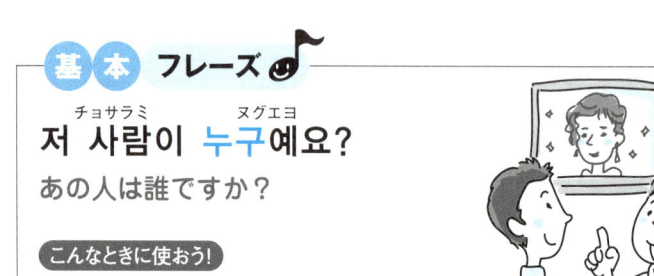

『누구〜?』は「誰〜？」という表現です。『누구』は「誰」「誰か」。
「誰も」は『누구도』『아무도』がありますが、会話では一般的に『아무도』を使います。『누구도』は「かつて誰一人として」という場面などで使われます。

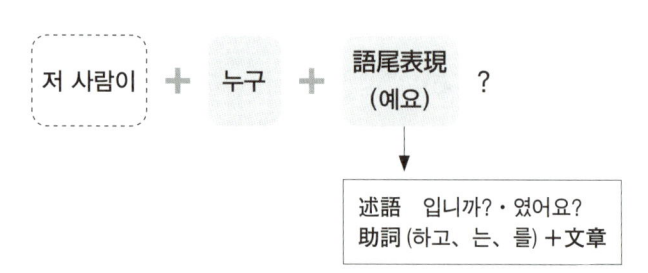

基本パターン

저 사람이 ＋ 누구 ＋ 語尾表現 (예요) ？

↓

述語　입니까? ・였어요?
助詞 (하고、는、를) ＋文章

誰〜？／누구〜？

基本パターンで言ってみよう!

<u>누구</u>를 생각하고 있어요?
ヌグルル　センガカゴ　イッソヨ
誰のことを考えているの？

<u>누구</u>든지 참가할 수 있습니다.
ヌグドゥンジ　チャンガハル　ス　イッスンムニダ
誰でも参加できます。

<u>누구</u>하고 같이 갈 거예요?
ヌグハゴ　ガチ　ガル　コエヨ
誰と一緒に行くつもり？

答え方　친구하고 갈 거예요. （友達と一緒に行くつもりです）
チングハゴ　ガル　コエヨ

<u>누구</u>나 한 번쯤은 본 적이 있어요.
ヌグナ　ハン　ボンチュムン　ボン　ジョギ　イッソヨ
誰もが一度は見たことがある。

거기 <u>누구</u> 있어요?
コギ　ヌグ　イッソヨ
そこに誰かいますか？

다섯 명 멤버 중에 <u>누가</u> 제일 좋아요?
タソン　ミョン　メンボ　ヂュンエ　ヌガ　チェイル　チョアヨ
5人のメンバーの中で誰が好きですか？

ワンポイント　助詞『가』がくっつくときは『누구가→누가』に変わります。

<u>누구</u>는 좋아서 갔겠어요?
ヌグヌン　チョアソ　ガッケッソヨ
誰も好きで行ったわけじゃない。（←誰かさんは好きで行ったと思う？）

71 何～？

뭐～？

基本フレーズ

저게(チョゲ) 뭐(モエヨ)예요?
あれ、何？

こんなときに使おう!
正体不明のものを見たときに…

『뭐～?』は「何～？」という表現です。

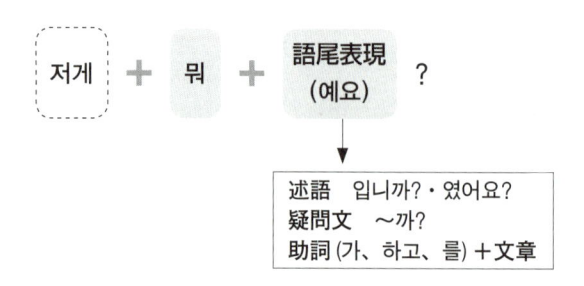

『뭐』は『무엇』の縮まった形です。助詞『를』がくっつくときは、更に『뭐를→뭘』に縮まります。

基本パターン

저게 ＋ 뭐 ＋ 語尾表現(예요) ？

述語　입니까?・였어요?
疑問文　～까?
助詞(가、하고、를)＋文章

何～？／뭐～？

基本パターンで言ってみよう!

뭘 드릴까요?
<small>モル ドゥリルカヨ</small>
何を差し上げましょうか?

뭐든지 안 가리고 먹을 수 있습니다.
<small>モドゥンジ アン ガリゴ モグル ス イッスンムニダ</small>
何でも好き嫌いせず食べられます。

주말에 뭐하고 지내요?
<small>チュマレ モハゴ ジネヨ</small>
週末には何をして過ごしている?

答え方 데이트를 해요. (デートをします)
<small>デイトゥルル ヘヨ</small>

뭐가 그렇게 재미있어요?
<small>モガ グロッケ ジェミイッソヨ</small>
何がそんなにおもしろいの?

뭐 먹을 거 있어요?
<small>モ モグル コ イッソヨ</small>
何か食べる物、ある?

조금 전에 뭐라고 했어요?
<small>チョグム ヂョネ モラゴ ヘッソヨ</small>
さっき何と言いましたか?

밥은 뭐하고 먹어요?
<small>パブン モハゴ モゴヨ</small>
ご飯は何と(一緒に)食べますか?

72 どう〜？ / 어떻게〜？

基本フレーズ

어떻게 지냈어요?
(オトッケ ジネッソヨ)
どう過ごしましたか？

こんなときに使おう！
休み明けに友人に会ったときに…

『어떻게〜?』は「どう〜？」「どのように〜？」という表現です。

基本パターン

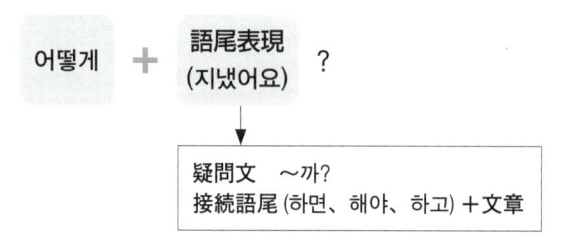

어떻게 ＋ 語尾表現 (지냈어요) ？

→ 疑問文　〜까?
　 接続語尾 (하면、해야、하고) ＋文章

基本パターンで言ってみよう！

어떻게 할까요?
(オトッケ ハルカヨ)
どうしましょう？

어떻게 생각해요?
どう思いますか？

答え方 괜찮은 것 같아요. (いいと思います)

어떻게 오셨어요?
どうされましたか？

> **ワンポイント** 主に病院や官公庁などで「どのようなご用事でいらっしゃいましたか？」という意図での質問となります。

김치찌게는 어떻게 만들어요?
キムチチゲはどう作りますか？

뭘 어떻게 해야 할지 모르겠어요.
何をどうすればいいかわからない。

어떻게 하면 한국말을 잘 할 수 있어요?
どうすれば韓国語が上手になれますか？

⚠ これも知っておこう!

『~(이)가 어떻게 되세요?』（~はどうなりますか？）は、とてもよく使われるパターンです。『~』には『이름이』（名前は）、『성함이』（お名前は）、『주소가』（住所は）、『전화번호가』（電話番号は）、『연세가』（お年は）などが入ります。

나이가 어떻게 되세요?
年はおいくつですか？

■著者略歴
李　明姫（イ・ミョンヒ）
韓国ソウルの徳成女子大学卒業。韓国外国語大学・教育大学院を経て、1989年来日。東京外国語大学院修士課程修了。韓国語講師、会議・企業セミナー・韓流スターの通訳に携わる。料理・洋裁・ビーズなど「モノ作り」が趣味で、無類の読書好き。
著書：『韓国語会話フレーズブック』『韓国語のスラング表現』（以上、明日香出版社）、翻訳：『魂創通 危機を生きぬくビジネスリーダーのおしえ』『黒く濁る村』（ACクリエイト）

〈CDナレーション協力〉
崔　圭桓（チェ・ギュファン）
韓国ソウル出身。俳優。韓国ドラマ「IRIS」への出演など、映画・ドラマを中心に活躍。日本に留学経験があり、「新宿ハングル講座」の特別講師なども務める。

〈校正協力〉
金　暻娥（キム・キョンア）

――― ご意見をお聞かせください ―――
ご愛読いただきありがとうございました。本書の読後感想・御意見等を愛読書カードにてお寄せください。また、読んでみたいテーマがございましたら積極的にお知らせください。今後の出版に反映させていただきます。

☎ (03) 5395-7651
FAX (03) 5395-7654
mail : asukaweb@asuka-g.co.jp

CD BOOK　たったの72パターンでこんなに話せる韓国語会話

2011年 5月28日　初版発行 2019年 5月24日　第16刷発行	著　者　李　　明姫 発行者　石　野　栄　一

明日香出版社

〒112-0005 東京都文京区水道2-11-5
電話 (03) 5395-7650 (代表)
　　(03) 5395-7654 (FAX)
郵便振替 00150-6-183481
http://www.asuka-g.co.jp

■スタッフ■　編集　小林勝／久松圭祐／古川創一／藤田知子／田中裕也　営業　渡辺久夫／浜田充弘／奥本達哉／野口優／横尾一樹／関山美保子／藤本さやか
　　　　　　財務　早川朋子

印刷　株式会社研文社
製本　根本製本株式会社
ISBN 978-4-7569-1461-3 C2087

本書のコピー、スキャン、デジタル化等の無断複製は著作権法上で禁じられています。
乱丁本・落丁本はお取り替え致します。
©Lee Myonghee 2011 Printed in Japan
編集担当　石塚幸子

CD BOOK たったの72パターンで こんなに話せる英会話

味園　真紀：著

本体価格 1400円＋税
B6変型　216ページ
ISBN4-7569-0832-2
2005/01発行

全国で大好評発売中！
英語ぎらいな人も、
英語が好きな人も、
必ず英語が話せるようになる！

＜決まった「パターン」を使い回せば、誰でも必ず話せる！＞
英会話では、フレーズを丸暗記するのではなく、英語でよく使われる「パターン」を身につけることが、1日も早く英語が話せるようになる近道です。

＜これでもうフレーズ丸暗記の必要ナシ！＞
「～じゃない？」「～頑張って！」「よく～するの？」「～してもらえない？」「～はどんな感じ？」「～だよね？」などなど、ふだん使う表現が英語でも必ず言えるようになります。

＜こんな方にオススメです＞
・英語を始めたばかりの方、やり直し始めたばかりの方
・暗記が苦手な方
・英文法をコツコツ勉強するより、とにかく会話を楽しみたい方

CD BOOK 72パターンに＋α(プラスアルファ)で何でも話せる英会話

味園　真紀：著

本体価格 1400円＋税
B6変型　216ページ
ISBN4-7569-0931-0
2005/11発行

**『たったの72パターンで
こんなに話せる英会話』
の次は、この本にチャレンジ！
英語ぎらいなあなたでも
だいじょうぶ。**

＜決まった「パターン」を使い回せば、誰でも必ず話せる！＞
英会話でよく使われる「72パターン」に加えて、さらにプラスアルファで覚えておきたい「38パターン」をご紹介。

＜4コママンガで英語の使い方がよくわかる！＞
　4コママンガで、「72パターン」「＋α38パターン」の使い方を確認！　これでもう、電話でも旅行先でもあわてません♪

＜こんな方にオススメです＞
・『たったの72パターンでこんなに話せる英会話』を読み終えて、もう1冊英会話の本に挑戦してみたい！　という方
・英語を始めたばかりの方、やり直し始めたばかりの方
・英文法をコツコツ勉強するより、とにかく会話を楽しみたい方

たったの68パターンで こんなに話せるビジネス英会話

味園 真紀：著

本体価格 1600円＋税
B6変型 208ページ
ISBN4-7569-1021-1
2006/10発行

**ビジネス英語だって、
『68パターン』を使い回して
ここまで話せる！
いちから勉強する時間がない…
という方にもオススメです。**

＜決まった「パターン」を使い回せば、誰でも必ず話せる！＞
英会話では、フレーズを丸暗記するのではなく、英語でよく使われる「パターン」を身につけることが、1日も早く英語が話せるようになる近道です。

＜これでもうフレーズ丸暗記の必要ナシ！＞
「あいにく～」「～してもよろしいですか？」「～して申し訳ございません」「当社は～です」「～していただけますか？」「～はいかがですか？」などなど、ビジネスでの必須表現が、英語でも言えるようになります。

＜こんな方にオススメです＞
・ビジネスですぐに使える英語を身につけたい人
・英語を始めたばかりの方、やり直し始めたばかりの方
・暗記が苦手な方